The Japan Accounting and Financial Analysis Examination

JN077115

ビジネス会計
検定試験®

公式テキスト
第6版
対応

2級

横山隆志 著

重要ポイント&模擬問題集

日本能率協会マネジメントセンター

本書の内容に関するお問い合わせについて

　平素は日本能率協会マネジメントセンターの書籍をご利用いただき、ありがとうございます。
　弊社では、皆様からのお問い合わせへ適切に対応させていただくため、以下①～④のように
ご案内いたしております。

①お問い合わせ前のご案内について

　現在刊行している書籍において、すでに判明して
いる追加・訂正情報を、弊社の下記 Web サイトでご
案内しておりますのでご確認ください。

https://www.jmam.co.jp/pub/additional/

②ご質問いただく方法について

　①をご覧いただきましても解決しなかった場合に
は、お手数ですが弊社 Web サイトの「お問い合わ
せフォーム」をご利用ください。ご利用の際はメール
アドレスが必要となります。

https://www.jmam.co.jp/inquiry/form.php

　なお、インターネットをご利用ではない場合は、郵便にて下記の宛先までお問い合わせ
ください。電話、FAX でのご質問はお受けいたしておりません。
〈住所〉　〒 103-6009　東京都中央区日本橋 2-7-1　東京日本橋タワー 9F
〈宛先〉　㈱日本能率協会マネジメントセンター　ラーニングパブリッシング本部　出版部

③回答について

　回答は、ご質問いただいた方法によってご返事申し上げます。ご質問の内容によっては
弊社での検証や、さらに外部へ問い合わせることがございますので、その場合にはお時
間をいただきます。

④ご質問の内容について

　おそれいりますが、本書の内容に無関係あるいは内容を超えた事柄、お尋ねの際に記
述箇所を特定されないもの、読者固有の環境に起因する問題などのご質問にはお答えでき
ません。資格・検定そのものや試験制度等に関する情報は、各運営団体へお問い合わせ
ください。
　また、著者・出版社のいずれも、本書のご利用に対して何らかの保証をするものではなく、
本書をお使いの結果について責任を負いかねます。予めご了承ください。

　世の中はChatGPTなどの生成系AIへの関心が高まっています。2014年のオックスフォード大学のマイケル・A・オズボーン准教授とカール・ベネディクト・フレイ博士による共同研究の論文では、税務申告書類作成者が仕事のリスクランキングで8位に入っていました。これにより、日本でも「税理士や会計従事者の仕事がなくなるのではないか?」という議論が起こりました。

　著者は2,000社以上の中小企業の会計業務を支援してきました。技術の進展や法制度の改正により、経理業務の自動化は確実に進んでおり、現在もRPA(Robotic Process Automation)やデジタルインボイスなどの話題が絶えません。しかし、会計に関する仕事が完全にAIに置き換えられるかというと、そうではありません。転記作業は減る一方で、自動化が進むほどチェック作業の重要性が増すのです。

　大阪商工会議所が主催するビジネス会計検定試験®は、財務諸表の分析を中心に会計情報の理解を問うものであり、特に、2級では連結財務諸表に関する知識も必要となる検定試験です。企業規模が大きくなるほど、財務諸表を利用した高度な分析能力が求められます。ビジネス会計検定試験®2級の学習は、会計担当者だけでなく、取引先企業の財務諸表を分析する営業担当者など、すべてのビジネスパーソンのスキル向上に役立ちます。

　先に述べたとおり、AIが進化しても、最終的なチェックは人間の手に委ねられます。検定試験に挑戦することで、会計に関するチェック能力を養っていただきたいと思います。

　最後に、本書の刊行にあたり、株式会社日本能率協会マネジメントセンターの笠原江理子氏に感謝申し上げます。

2024年7月　　　　　　　　　　　　　　　　　　　横山 隆志

第7章　キャッシュ・フロー計算書の理解

第8章　附属明細表と注記の理解

①ビジネス会計検定試験の概要

●ビジネス会計検定試験とは

　ビジネス会計検定試験は、「財務諸表に関する知識や分析力を問うもので、財務諸表が表す数値を理解し、ビジネスに役立てていく」ことに重点を置いて開発されたものです（大阪商工会議所「ビジネス会計検定試験」ホームページより）。大阪商工会議所の主催、各地商工会議所の協力により、年2回実施されます。2024年度は、全国17都市での実施が予定されています。

■到達目標

級	到達目標
3 級	会計の用語、財務諸表の構造・読み方・分析等、財務諸表を理解するための基礎的な力を身につける。
2 級	企業の経営戦略や事業戦略を理解するため、財務諸表を分析する力を身につける。
1 級	企業の成長性や課題、経営方針・戦略などを理解・判断するため、財務諸表を含む会計情報を総合的かつ詳細に分析し企業評価できる力を身につける。

■級別の実施方法

級	問題形式	合格基準
3 級	マークシート方式（2 時間）	100 点満点で、70 点以上の得点
2 級		
1 級	マークシート方式および論述式（2 時間 30 分）	200 点満点で、論述式 50 点以上かつ全体で 140 点以上の得点

■試験結果：第 29 回〜第 34 回

実施回 実施年月	レベル	申込者数（人）	合格者数（人）	合格率（％）	実施回 実施年月	レベル	申込者（人）	合格者数（人）	合格率（％）
第 29 回 2021 年 10 月 17 日	3 級	4,920	2,866	68.9	第 32 回 2023 年 3 月 12 日	3 級	4,373	2,158	61.7
	2 級	2,516	1,014	52.1		2 級	2,568	1,138	59.1
第 30 回 2022 年 3 月 13 日	3 級	4,376	2,213	63.5		1 級	277	45	21.3
	2 級	2,587	1,035	54.2	第 33 回 2023 年 10 月 15 日	3 級	4,158	2,429	70.2
	1 級	278	24	10.8		2 級	2,113	755	46.7
第 31 回 2022 年 10 月 16 日	3 級	4,588	2,550	67.2	第 34 回 2024 年 3 月 10 日	3 級	4,163	3,361	70.9
	2 級	2,271	959	53.3		2 級	2,496	1,862	44.6
						1 級	301	231	26.4

（出典）ビジネス会計検定試験[®] ホームページ（http:s//www.b-accounting.jp/）より。

②ビジネス会計検定試験2級のポイント

●出題範囲

　2級の到達目標は、前項の図表「到達目標」で示したとおりです。

　『ビジネス会計検定試験®2級公式テキスト』（大阪商工会議所編）の内容と、それを理解したうえでの応用力が問われます。公式テキストでは、出題範囲として、以下のように掲げられています。

(1) 財務諸表の構造や読み方、財務諸表を取り巻く諸法令に関する知識

　①会計の意義と制度

　②連結財務諸表の構造と読み方

(2) 財務諸表の応用的な分析

　①基本分析　　　　　　　　　②連単倍率と規模倍率

　③安全性の分析　　　　　　　④収益性の分析

　⑤キャッシュ・フローの分析　⑥セグメント情報の分析

　⑦損益分岐点分析　　　　　　⑧株価等の分析

　⑨1人当たり分析

●出題形式

　2級は、マークシート方式の試験です。過去の実施分では、以下のような形式で出題されています。

　＊問いに対する答えを、5肢から1肢選択

　＊短い文章の空欄に当てはまる語句を、4肢から1肢選択

　＊2つの短い文章が与えられ、それぞれの記載内容についての正誤の組み合わせを、4肢（正と正、正と誤、誤と正、誤と誤）から1肢選択

　＊条件が与えられ、記載内容を満たすものについての正しい組み合わせを、5肢から1肢選択

> （例）次の項目のうち、金融商品取引法が要求している開示書類の適切な組み合わせを選びなさい。

＊比率や数値を計算し、5肢から1肢選択

> （例）次の資料から株主資本の合計額を計算し、正しい数値を選びな
> さい。

このほか、総合問題形式により、与えられた条件から財務諸表の空欄
を補充させたり、比率を計算させたりする問題も出題されます。総合問
題についても、解答は4～5肢からの選択式となっています。

●出題の特徴

連結貸借対照表、連結損益計算書、連結包括利益計算書、連結株主資
本等変動計算書、連結キャッシュ・フロー計算書、連結附属明細表のほ
か、セグメント情報など「その他のデータ」を使って出題されることが
大きな特徴です。3級に比べ非常に広くなっています。

総合問題では、それぞれの財務諸表や追加の資料の間での数字のつな
がりから数値を逆算で求める問題も多く出題され、財務諸表の構造への
理解を問う出題となっています。時間の割に問題数が多いので、各設問
に素早く解答することが合格への鍵となります。

●学習のポイント

必要項目について、インプットとアウトプットの両面を意識した学習
が必要です。

①**インプットのポイント**……各項目の重要事項がどこなのか、しっか
　り意識して理解することです。

②**アウトプットのポイント**……理解した知識を、小問により集中的に
　確認します。実際の出題形式を意識しながら、多くの問題に繰り返
　しあたることです。

●本書の構成と利用方法

　各項目について、原則、２ページで解説しています。また、学習のため、以下のような工夫をしています。

①**学習のポイント**……各項目の最初に欄を設けて、重要事項を整理しています。「学習のポイント」を意識しながら確認することで、検定試験に必要な知識を整理できるように構成しています。

②**理解度チェック**……各章末に、章全体の内容を確認するための問題を豊富に用意しています。「理解度チェック」は、実際に出題された過去問題を参考にした○×形式の演習問題で、簡潔に理解度を確認できるようにしたものです。解説により、理解した知識の定着を図ります。

③**模擬問題**……最終章に、実際の検定試験を想定した模擬問題を２回分用意しています。学習した個々の事項を総合的に試すため、ぜひ活用してください。なお、模擬問題①には動画解説が用意されています。試験ではさまざまな角度からの問が出題されると予想されます。本書の模擬問題の解説に加え、動画解説を通じて、資料のつながりから解答を導き出す手法が学べ、合格可能性も高めることができます。

　制限時間内に確実に解答する力をつけるためには、「理解度チェック」と「模擬問題」を何度も繰り返すことです。アウトプットのトレーニングにあてながら、解説により、理解を定着させることが有効です。

▼摸擬問題解説動画

https://www.kaikei-soft.net/jman/busi2/moshi/mogi.html

▼**本サイトに関するお問い合わせ先**

弥生カレッジCMC（お問合せフォーム）

https://kaikei-soft.net/form01/text-movie/

第1章

会計情報の意義と
会計制度の理解

1 会計情報のもつ２つの機能

Point

- ●利害調整機能と投資判断情報提供機能という２つの機能がある。
- ●株主・経営者・債権者の間には、それぞれにとっての利害がある。
- ●会計情報により、利害が調整される。
- ●投資者は、会計から情報を得ることができる。

１．利害調整機能について理解しよう

　企業には、さまざまなステークホルダーが存在し、それぞれの利害は、時として対立する可能性があります。会計情報によって、こうした**利害の対立が調整される**ことを、利害調整機能（または**成果配分支援機能**）といいます。

　図表 1-1 は、株主・経営者・債権者の間の利害が会計情報によってどのように調整されるかを示したものです。

図表 1-1　利害の対立と会計情報による調整

> **ステークホルダー:**
> 企業に利害関係のある人々。利害関係者ともいう。株主、経営者、債権者のほか、従業員、取引先、地域住民、投資者なども含まれる。

2. 投資判断情報提供機能について理解しよう

投資判断情報提供機能は、意思決定支援機能といわれることもあります。会計情報によって、投資の意思決定に必要な情報を投資者に提供しているという機能です。

図表1-2　投資判断と会計情報

◎株主・債権者の利害対立と会社法 … 株主有限責任の考え方

株式会社は、株主・債権者それぞれから資金を調達して事業を行っています。

会社法では、株主有限責任の考え方がとられていて、会社が倒産しても、株主は自らが出資した金額までしか責任を負いません。株主への配当が無制限に行われると、会社財産が社外に流出するので、債権者は利息や元本の回収ができなくなってしまう可能性があります。

そこで、会社法では、株主と債権者の利害を調整するために、分配可能額（配当などの限度額）について一定の規制を設けています。

2 開示の制度①

- 金融商品取引法、会社法、および金融商品取引所のルールによって、開示書類と開示方法が定められている。
- 金融商品取引法では、発行市場と流通市場の2つの局面について開示する書類・方法・時期を定めている。
- 個別財務諸表のほかに連結財務諸表が開示される。
- 半期ごとに中間連結財務諸表が開示される。

1．開示制度の全体像を理解しよう

　企業情報の開示については、主に**金融商品取引法**と**会社法**という2つの法律により定められています。また、金融商品取引所に上場している会社については、金融商品取引所のルールによって、開示が行われています。財務諸表は、これらの法律・ルールに定められた開示書類のなかに含めて開示されます。

2．金融商品取引法による開示制度を理解しよう

① 金融商品取引法による開示書類

　金融商品取引法では、**発行市場**（株式・債券などを新規に発行する市場）と**流通市場**（既発行の株式・債券などを売買する市場）という2つの局面について、一定の開示を求めています。

図表 1-3　金融商品取引法による主な開示書類

区分	主な開示書類	開示方法	開示時期	提出期限
発行市場	目論見書	投資者に直接交付	発行時	－
	有価証券届出書	国（内閣総理大臣）へ提出することにより、一般に公開		
流通市場	有価証券報告書		年1回	3か月以内
	半期報告書		半期	45日以内(※)
	臨時報告書		随時	－

（※）特定事業会社（上場会社のうち銀行業や保険業などを営む特定の会社）は 60 日以内

半期報告書：
当該事業年度が開始した日以後の6か月間のことを半期という。半期報告書は、たとえば、4月1日から翌年3月31日を事業年度とする企業の場合、4月1日から9月30日の期間について作成・開示される。

② 金融商品取引法により開示される財務諸表

図表 1-3 に示した開示書類のうち、臨時報告書を除く4つの開示書類には財務諸表が含まれます。

金融商品取引法によって開示が必要な財務諸表の種類について、開示対象となる会社の範囲と期間からまとめると、**図表 1-4** のとおりです。

図表 1-4　金融商品取引法による財務諸表の分類

		開示対象期間	
		年度（1年間）	半期（6か月）（※1）
対象となる会社の範囲	親会社個別	財務諸表 ・貸借対照表（BS） ・損益計算書（PL） ・株主資本等変動計算書（SS） ・キャッシュ・フロー計算書（CF）（※3） ・附属明細表	中間財務諸表（※2） ・中間貸借対照表（BS） ・中間損益計算書（PL） ・中間キャッシュ・フロー計算書（CF）（※3）
	グループ全体	連結財務諸表 ・連結貸借対照表（BS） ・連結損益計算書（PL） ・連結包括利益計算書（CI） ・連結株主資本等変動計算書（SS） ・連結キャッシュ・フロー計算書（CF） ・連結附属明細表	中間連結財務諸表 ・中間連結貸借対照表（BS） ・中間連結損益計算書（PL） ・中間連結包括利益計算書（CI） ・中間連結キャッシュ・フロー計算書（CF）

（※1）上場会社の場合、半期報告書に「第1種」と付記する。たとえば、半期の連結貸借対照表は、第1種中間連結貸借対照表と表記される。

（※2）上場会社が第1種中間連結財務諸表を開示する場合は、第1種中間財務諸表を開示する必要はない。

（※3）連結キャッシュ・フロー計算書を開示する場合は、個別キャッシュ・フロー計算書を開示する必要はない。

3 開示の制度②

Point

- 会社法でいう計算書類は、金融商品取引法でいう財務諸表と同一の会計基準から作成されている。実質的な内容は同じである。
- 金融商品取引法と会社法とでは、開示が求められる財務諸表（計算書類）の種類が異なる。会社法では、キャッシュ・フロー計算書は開示されない。
- 会社法では、半期の開示は必要ない。
- 金融商品取引所のルールによる開示の主なものとして、決算短信がある。

1．会社法による開示制度を理解しよう

①財務諸表と計算書類

　会社法に基づいて作成される（個別）財務諸表、連結財務諸表は、**計算書類、連結計算書類**と呼ばれます。

　会社法でいう計算書類と金融商品取引法でいう財務諸表とは、同一の会計基準に基づいて作成されています。法律の違いにより、表示項目や様式に違いはありますが、実質的な内容は同じです。

②会社法により開示が求められる計算書類

　会社法と金融商品取引法では、開示が求められる計算書類（財務諸表）の種類が異なります（次ページ**図表 1-5**）。

③会社法による開示書類

　会社法では、株主総会で計算書類の報告・承認を行うことになっています。また、株主総会の開催にあたっては、株主に対して招集の通知を行うことになっています。

　計算書類は、株主総会の招集通知の添付書類として株主に個別に送付されます。また、貸借対照表の要旨（要約貸借対照表）につい

ては、**公告**をすることになっています。

> **公告**：
> 法令により定められた公衆への告知の方法。官報や日刊新聞紙に掲載する
> 方法のほか、インターネットへの掲載による電子公告の方法がある。

図表 1-5　会社法による主な計算書類

対象となる会社の範囲	親会社のみを対象	グループ全体を対象
	計算書類 ・貸借対照表 ・損益計算書 ・株主資本等変動計算書 ・個別注記表	連結計算書類 ・連結貸借対照表 ・連結損益計算書 ・連結株主資本等変動計算書 ・連結注記表
開示対象期間	年度（1年間）	

（※）金融商品取引法により開示が求められる財務諸表との対比
　　　・計算書類と呼ばれる。
　　　・キャッシュ・フロー計算書は含まれない。
　　　・半期での開示は必要ない。

2．金融商品取引所による開示制度を理解しよう

①決算短信とは

　金融商品取引所でも、金融商品取引法や会社法などの法律とは別に、管理・運営のためのルールを設けて、上場会社に対して情報の開示を求めています。そのなかで中心になるのが、決算短信です。

　決算短信は、上場会社の業績をタイムリーに開示するための速報です。一定の開示項目や様式を定めており、四半期ごとに開示することを求めています。

②決算短信に含まれる財務諸表

　決算短信にも財務諸表が添付されます。速報としての位置づけであるため、様式などに相違はありますが、基本的に金融商品取引法により開示が求められるものと同一の種類の財務諸表が開示されます。

第1章
第2章
第3章
第4章
第5章
第6章
第7章
第8章
第9章
第10章

　四半期ごとに、企業グループ全体の連結ベースでの財務諸表が開示されます。

◎「財務諸表」の示す範囲 ・・・ 広義の財務諸表と狭義の財務諸表

　財務諸表という用語は、場合によって指し示す範囲が異なります。
〈最広義〉　図のⅠ〜Ⅳすべての部分
　一番広い意味では、金融商品取引法・会社法いずれによるものか、個別・連結いずれかにかかわらず、すべてを指します。
〈広義〉　図のⅠとⅡの部分
　会社法の様式で作成された計算書類に対比するものとして、金融商品取引法の様式のものを指します。
〈狭義〉　図のⅠの部分のみ
　一番狭い意味では、金融商品取引法ベースの個別財務諸表を指します。

	個別	連結
金融商品取引法に基づくもの	Ⅰ	Ⅱ
会社法に基づくもの	Ⅲ	Ⅳ

　本書では、財務諸表という用語については、特に説明のないかぎり、一番広い意味（Ⅰ〜Ⅳすべて）で用いています。

◎四半期報告書の廃止

　2023年11月の金融商品取引法改正により、四半期報告制度が廃止され、決算短信に統一されることになりました。廃止の理由は以下の2つです。
①企業の負担軽減
　決算短信と四半期報告書は内容が類似し、提出時期も重なっていたため、経済界から制度見直しを求める声がありました。
②中長期的な企業価値向上の促進
　四半期報告制度の存在が企業の短期的利益追求につながり、サステナビリティ重視の経営方針に反しているとの指摘が多くあり、制度見直しを求める声が高まっていました。

✏️ 検定対策

▶ 検定試験2級では、本章の内容は多くても2問程度しか出題されません。また、暗記項目が多くなるため、必要以上に時間をかけて学習する必要はないでしょう。大枠を理解する程度で十分です。

理解度チェックと解答・解説
理解度チェック

次の記述のうち、適切と思われるものは○に、不適切と思われる
ものは×に、それぞれ丸を付けなさい。

1. 金融商品取引法に基づく開示書類には、有価証券の発行に際する
   ものとして、有価証券の募集または売出しを行う場合に内閣総理
   大臣に提出する有価証券届出書や投資者に直接交付する目論見書
   がある。　　　　　　　　　　　　　　　　　　　**(O　×)**

2. 会社法では、有価証券の流通市場における開示書類として、有価証
   券の発行会社などが定期的に提出する有価証券報告書および半期
   報告書、臨時報告書などがある。　　　　　　　　**(O　×)**

3. キャッシュ・フロー計算書は、1年間の企業のキャッシュ・フロー
   の状況を表示することによって企業活動全体を対象とする重要な
   情報を提供しており、財務諸表の1つとして位置づけられている。
   　　　　　　　　　　　　　　　　　　　　　　　(O　×)

4. 中間財務諸表は、6か月の中間会計期間を対象として、年2回作成
   される。　　　　　　　　　　　　　　　　　　　**(O　×)**

5. 半期ごとに開示が求められるのは、個別財務諸表だけである。
   　　　　　　　　　　　　　　　　　　　　　　　(O　×)

6. 金融商品取引法に基づく中間連結財務諸表には、中間連結キャッ
   シュ・フロー計算書は含まれない。　　　　　　　**(O　×)**

7. 決算短信は、情報の適時開示を目的として、金融商品取引法に定め
   られている情報開示の方法である。　　　　　　　**(O　×)**

8. 決算短信には、配当の状況は掲載されない。　　　**(O　×)**

9. 財務諸表は、作成対象となる会計単位の観点から、連結財務諸表と
   個別財務諸表に分類される。　　　　　　　　　　**(O　×)**

10. 半期の財務諸表には、附属明細表は含まれない。　**(O　×)**

第1章
第2章
第3章
第4章
第5章
第6章
第7章
第8章
第9章
第10章

23

解答・解説

番号	解答	解　説
1	○	開示書類の種類とともに、どのような方法で開示されるか（国・金融商品取引所への提出、投資者への直接交付、株主への送付）についても、理解しておきましょう。
2	×	有価証券報告書、半期報告書、臨時報告書は、<u>金融商品取引法</u>の規定により開示が求められるものです。金融商品取引法は、流通市場・発行市場に分けて開示書類を定めています。
3	○	キャッシュ・フロー計算書は、貸借対照表、損益計算書や株主資本等変動計算書とともに、財務諸表の1つと位置づけられています。なお、会社法では、キャッシュ・フロー計算書の開示が求められていないことを確認しておきましょう。
4	×	中間財務諸表は<u>年1回</u>作成されます。年度末には中間財務諸表は作成されず、年度の財務諸表のみが作成されます。
5	×	金融商品取引法に基づく半期報告書では、<u>中間連結財務諸表の開示</u>が求められており、中間連結財務諸表を開示する場合は、個別中間財務諸表の開示は必要ありません。
6	×	中間連結キャッシュ・フロー計算書は、<u>半期連結財務諸表の1つに含まれます</u>。一方、連結株主資本等変動計算書は、半期報告書では開示されませんので、注意しましょう。
7	×	決算短信は、<u>金融商品取引所の自主規制のルールとして開示</u>が求められているものです。
8	×	決算短信では、売上高、当期純利益、純資産など財務諸表の主要項目のほか、<u>配当の状況や業績予想なども記載されます</u>。
9	○	財務諸表の作成の対象となる範囲のことを会計単位といいます。個別財務諸表は、1つの会社を会計単位とし、連結財務諸表は、親会社を中心とする企業集団を会計単位とします。
10	○	中間附属明細表というものはありません。なお、年度の財務諸表では（個別）附属明細表と連結附属明細表が作成されます。

第2章

連結財務諸表の理解

1 企業集団の範囲①

Point

- 企業集団は親会社、子会社、関連会社から構成される。
- 子会社に該当するかは、親会社からの「支配」による。
- 「支配」の考え方は、意思決定機関への実質的な支配の有無により判断される。株主総会の議決権の過半数を所有する場合のほか、一定の事実関係を考慮することもある。

1. 連結財務諸表の種類を理解しよう

　連結財務諸表は、複数の企業からなる**企業集団を1つの組織とみなして作成する**財務諸表です。ビジネス会計検定試験2級の出題範囲となる主な連結財務諸表の内容は、**図表 2-1** のとおりです。

図表 2-1　連結財務諸表の種類と内容

財務諸表の種類	示す内容	開示対象期間（時点）
連結貸借対照表	財政状態	一定時点（期末日）
連結損益計算書	経営成績	一定期間 （年度または半期）（※）
連結包括利益計算書	純資産の変動	
連結株主資本等変動計算書	株主資本等の変動	
連結キャッシュ・フロー計算書	キャッシュ・フローの状況	
連結付属明細表	重要項目の補足のための明細	

（※）半期の場合、事業年度開始日以降の6か月間につき、年1回作成する。

2. 企業集団の構成を理解しよう

　連結財務諸表の対象となる企業集団は、**図表 2-2** のとおり、**親会社、子会社、関連会社**から構成されます。

図表 2-2　親会社、子会社、関連会社の区分

区分	内容
親会社	出資・人事・資金・技術などの関係（以下、「出資など」という）を通じて、他の会社を支配している会社
子会社	出資などにより、親会社に**支配されている**会社
関連会社	出資などにより、財務や営業の方針について、親会社から**重要な影響を受ける**会社

（※）子会社に該当する場合は、関連会社にはならない。

3．支配の概念（実質支配力基準）を理解しよう

　子会社についての支配とは、その会社の意思決定機関を実質的に支配していることを指します。

　支配に該当するかどうかは、**図表 2-3** のとおり、株主総会での議決権の割合により判定する考え方（**ケース①**）のほか、一定の事実関係を加味して判定する考え方（**ケース②**）がとられています。

図表 2-3　支配の考え方

	議決権の割合	一定の事実関係の有無
ケース①	その会社の議決権の過半数（50％超）を所有する。（※ 1）	問わない。
ケース②	議決権の所有割合が 50％以下であっても、一定割合の議決権を所有する。（※ 1）	左記に加えて、その会社の意思決定機関を「支配している一定の事実」（※ 2）が認められる。

（※ 1）所有の名義を問わず、実質的に判定する。
（※ 2）支配している一定の事実の例
　　・株主総会の議決権の………　議決権を行使しない株主が存在する。協力的な株主（役
　　　過半数を実質的に確保　　　　員、関連会社）が存在する。　　など
　　・取締役会の構成員の………　親会社の役員（元役員）、従業員（元従業員）がその会
　　　過半数を確保　　　　　　　社の取締役会の過半を占めている。　　など
　　・その他…………………………　資金調達総額の過半について、その会社から融資を受け
　　　　　　　　　　　　　　　　　ている。重要な財務および営業の方針決定を支配する契
　　　　　　　　　　　　　　　　　約などが存在する。　　など

> **議決権：**
> 株主総会での議決権。通常は 1 株につき 1 個の議決権があるが、自己株式等には議決権がないため、議決権割合と株式割合は必ずしも一致しない。

第1章
第2章
第3章
第4章
第5章
第6章
第7章
第8章
第9章
第10章

2　企業集団の範囲②

Point

- 関連会社に該当するかは、親会社の「重要な影響」による。
- 子会社の判定、関連会社の判定のさいの議決権の所有については、直接所有のほか、子会社を通じた間接保有の場合も親会社による所有があると判断される。

1．重要な影響の概念（実質影響力基準）を理解しよう

　関連会社についての重要な影響も、支配の判定と同様、実質的に判断します。

　図表 2-4 のとおり、株主総会での議決権の割合により判定する考え方（**ケース①**）のほか、一定の事実関係を加味して判定する考え方（**ケース②**）がとられています。

図表 2-4　重要な影響の考え方

	議決権の割合	一定の事実関係の有無
ケース①	その会社の議決権の20％以上を所有する。（※ 1）	問わない。
ケース②	議決権の所有割合が20％未満であっても、一定割合の議決権を所有する。（※ 1）	左記に加えて、その会社の財務および営業の方針決定に対して「重要な影響を与えることができる一定の事実」（※ 2）が認められる。

（※ 1）所有の名義を問わず、実質的に判定する。
（※ 2）財務および営業の方針決定に重要な影響を与える契約が存在するなど。

2．議決権の所有について理解しよう

　実質支配力・実質影響力の判定では、親会社が議決権を直接所有する場合のほか、**子会社を通じて間接的に所有する**場合も、親会社による所有があると考えます。

図表 2-5　議決権の所有の考え方

子会社・関連会社の範囲を例で示すと、**図表 2-6** のとおりです。

図表 2-6　子会社・関連会社の範囲

第1章
第2章
第3章
第4章
第5章
第6章
第7章
第8章
第9章
第10章

✍️検定対策

▶ 実質支配力基準や実質影響力基準については、実際には詳細な規定
が設けられていますが、検定試験 2 級の対策としては、前項図表
2-3、本項図表 2-4 くらいを理解しておけばよいでしょう。

3 連結財務諸表の作成①

Point

- 子会社・関連会社の決算を連結財務諸表に反映させる方法には、連結と持分法がある。
- 原則として、子会社は連結の対象とされる。連結の対象とならない子会社と関連会社には、持分法が適用される。
- 親会社と連結子会社をあわせて連結会社という。
- 連結の手続きでは、連結会社の財務諸表を単純合算した後、連結会社間の重複を解消するため、一定の連結調整が行われる。

1．各社の決算が連結財務諸表にどう反映されるか理解しよう

　連結財務諸表は、親会社のほか、子会社や関連会社も含めた企業集団の状況を表します。

　子会社や関連会社の決算を連結財務諸表に反映させる方法には、①**連結**と②**持分法**の２つがあります。連結と持分法のいずれを適用するかについては、**図表 2-7** のように判定します。

図表 2-7　連結・持分法の適用判定フロー

2．連結財務諸表の作成の流れを理解しよう

　親会社と連結が適用される子会社（**連結子会社**）をあわせて**連結会社**といいます。連結財務諸表は、連結会社それぞれの個別財務諸表の単純合算を基礎として作成されます。

　連結財務諸表を作成する主な流れは、**図表 2-8** に示すとおりです。

図表 2-8　連結財務諸表作成の流れ

未実現利益：
たとえば、連結会社間で商品の売買があったとしても、その商品がグループ外に売却されないかぎり、連結ベースでは利益が実現したことにならない。このような利益を未実現利益といい、連結調整の過程で消去される。

第1章
第2章
第3章
第4章
第5章
第6章
第7章
第8章
第9章
第10章

4 連結財務諸表の作成②

Point

- 持分法では、持分法適用会社の損益・純資産の変動に応じ、連結貸借対照表での投資の金額が修正される。
- 投資の金額の修正に応じて、連結損益計算書には持分法による投資利益（損失）が計上される。
- 持分法は、個別財務諸表には適用されない。

1．持分法について理解しよう

①持分法の適用範囲

　関連会社、連結の範囲に含まれない子会社（**非連結子会社**）には、持分法が適用されます。持分法を適用する会社のことを**持分法適用会社**といいます。持分法は、連結に比べて持分法適用会社の業績を簡便に連結財務諸表に反映させる手続きです。

　連結会社のように、個別財務諸表の合算は行いません。その代わりに、持分法適用会社の純資産や損益の変動に応じて、連結会社の持分に見合う分だけ、連結貸借対照表での投資（株式）の金額が修正されます。

　なお、持分法は連結財務諸表が作成される場合にだけ適用されます。子会社が存在せず、連結財務諸表が作成されない場合には、持分法は適用されません。

②完全連結と一行連結

　持分法では、個別財務諸表の各項目の単純合算・連結調整に代えて、投資の金額の調整のみを行います。この対比を表し、通常の連結を完全連結・全部連結と呼び、持分法を一行連結と呼ぶこともあります。

2. 持分法の具体的な適用について理解しよう

適用の手順について、例をあげて説明します（**図表 2-9**）。

図表 2-9　持分法の適用

連結会社による持分割合が 40% の持分法適用の関連会社 A 社があったとします。そして、A 社が、1,000 百万円の当期純利益を計上した場合を考えます。説明の便宜から、A 社では、ほかに純資産を増減させる要因がなかったとしましょう。

A 社に持分法を適用する場合には、**連結貸借対照表**に計上されている A 社株式について評価を修正し、400 百万円（= 1,000 百万円 × 40%）の評価益を計上することになります。

この評価益のことを、**持分法による投資利益**といい（評価損が出た場合は、**持分法による投資損失**）、**連結損益計算書**の営業外収益（または営業外費用）の区分に計上されます。

✏️ **検定対策**

▶ 検定試験 2 級では、持分法適用会社の損益、純資産の変動額と持分比率から、連結財務諸表への影響額を計算させる出題も考えられます。

第1章
第2章
第3章
第4章
第5章
第6章
第7章
第8章
第9章
第10章

5 のれん

Point

- 連結により投資と純資産の相殺を行った場合の差額をのれんという。
- のれんには、（正の）のれんと負ののれんがある。（正の）のれんは無形固定資産に計上され、その後一定の期間で償却される。
- 負ののれんは、発生時に負ののれん発生益として特別利益に計上される。

　連結財務諸表は、連結調整の手続きや持分法を適用して作成されます。このため、連結財務諸表に特有の項目がいくつか存在します。本項および次項で、主なものについて説明します。

1. のれんについて理解しよう

　のれんは、連結調整として、**投資（子会社株式）と純資産の相殺を行う場合に生じる差額**です。

図表 2-10　投資と純資産の相殺消去

　ある会社（Ｂ社）の株式の100％を新たに取得して子会社化する場合を考えてみましょう。Ｂ社の株式をいくらで買うかは、売り手（Ｂ社の株主）との交渉によって決定します。したがって、連結調整のさい相殺の対象となる「投資の金額（Ｂ社株式の取得価額）」と「Ｂ社の純資産の金額」は、必ずしも一致しません。

連結貸借対照表では、この差額がのれんとして表示されます。

2. 正ののれんと負ののれんの表示について理解しよう

相殺による差額は、プラス（株式の取得価額＞子会社の純資産）となるケースもあれば、マイナス（株式の取得価額＜子会社の純資産）となるケースもあります。

差額がプラスの場合には、（正の）のれんとして**無形固定資産**に表示されます。逆に、差額がマイナスの場合には、負ののれん発生益として損益計算書の**特別利益**に表示されます。

3. のれん償却額について理解しよう

（正の）のれんは、一定の期間にわたって費用として償却されます。償却により、各期の費用となる金額は、連結損益計算書の**販売費及び一般管理費**に「のれん償却額」として表示されます。

のれん償却額と負ののれん発生益は、それぞれ**図表 2-11** のとおりに計上されます。

図表 2-11　のれん償却額の計上

◎のれん ･･･ 個別貸借対照表への計上

のれんは連結手続き以外に、他社から事業を譲り受けることなどによっても発生します。このため、のれんは個別貸借対照表にも計上されます。

連結貸借対照表では、連結手続きにより発生するのれんについて、特に区分することなく、まとめて表示されています。

第1章
第2章
第3章
第4章
第5章
第6章
第7章
第8章
第9章
第10章

6 非支配株主持分と非支配株主に帰属する当期純損益

Point

- 親会社以外の株主をまとめて、非支配株主という。
- 非支配株主持分とは、連結子会社の純資産のうち、非支配株主に帰属する部分をいう。連結貸借対照表では、純資産の項目の1つとして表示される。
- 非支配株主に帰属する当期純利益（損失）とは、連結子会社の当期純利益（損失）のうち、非支配株主に帰属する部分をいう。

1．非支配株主持分について理解しよう

　非支配株主持分は、子会社の純資産のうち、持株比率に応じて**親会社以外の株主に帰属する部分**です。なお、親会社以外の株主のことを、親会社に対して**非支配株主**といいます。

図表 2-12　非支配株主持分

　たとえば、発行済株式の80％を新たに取得してC社を子会社にする場合を考えます。

　連結手続きでは、親会社の投資（C社株式）とC社の純資産を相殺します。親会社の投資は、C社の純資産の80％部分に対するものです。このため、相殺するさいには、C社の純資産の残り20％部分について差額が生まれます。この差額部分は親会社のものではなく、非支配株主に帰属するものです。そこで、連結貸借対照表で

は、この差額を「純資産の部」に「非支配株主持分」という区分を設けて表示することにしています。

2. 非支配株主に帰属する当期純利益（当期純損失）について理解しよう

1. で述べたC社が、1,000百万円の当期純利益を計上したとします。連結手続きでは損益計算書が単純合算されるので、C社の当期純利益の全額が集計されます。しかし、このうち親会社に帰属するのは、持分割合（80％）に見合う部分だけです。残り20％は非支配株主のものになるので、調整が必要となります。

そこで、連結損益計算書では、合算された当期純利益から、C社の**当期純利益のうち非支配株主に帰属する部分**（1,000百万円×20％＝200百万円）を差し引いて親会社株主に帰属する当期純利益を算出します。この調整額を、非支配株主に帰属する当期純利益といいます。子会社が利益を計上した場合には、**連結損益計算書の当期純利益から減算**します。逆に、子会社が損失を計上した場合には、非支配株主に帰属する当期純損失として、**連結損益計算書の当期純利益に加算**することになります。

図表 2-13　非支配株主に帰属する当期純利益の調整

理解度チェック

次の記述のうち、適切と思われるものは○に、不適切と思われるものは×に、それぞれ丸を付けなさい。

1. 連結財務諸表とは、複数の企業で構成される企業集団を、1つの企業であるかのようにみなして作成する財務諸表である。**(O ×)**

2. 企業集団において、他の企業を支配している会社を親会社といい、親会社によって支配されている会社を子会社という。**(O ×)**

3. ある1つの会社が、連結財務諸表と個別財務諸表を同時に作成することはない。**(O ×)**

4. 連結財務諸表は親会社が作成する。**(O ×)**

5. 連結財務諸表は、個別財務諸表を基礎に作成する。**(O ×)**

6. A社は、議決権の35%をP社によって所有され、かつP社が議決権の80%を所有しているB社によって、25%を所有されている。このとき、A社はP社の関連会社に該当する。**(O ×)**

7. C社はY社の議決権の30%を実質的に所有しており、その所有は一時的なものとは認められない。このとき、Y社がC社の子会社でない場合、C社の関連会社である。**(O ×)**

8. 連結の範囲に含まれない子会社もある。**(O ×)**

9. 親会社からみて、子会社であると同時に関連会社である会社が存在する。**(O ×)**

10. A社がB社の子会社であれば、B社はA社の親会社である。**(O ×)**

11. 持分法とは、非連結子会社や関連会社の純資産および損益のうち、親会社に帰属する部分の変動に応じて親会社の投資の金額を毎期修正する方法である。**(O ×)**

12. 持分法の適用対象は、関連会社に限定される。**(O ×)**

13. 持分法は「一行連結」と呼ばれることがある。　　　　　　（**O**　**×**）

14. 親会社が発行済株式の25％の株式を保有している関連会社が1,000百万円の当期純利益を計上した。投資消去差額（親会社による投資と、これに対応する関連会社の純資産の差額）はなく、親会社・子会社とこの関連会社との取引はないものとする。また、この関連会社からの配当はなかった。この会社に持分法を適用した場合の当期の連結損益計算書上の「持分法による投資利益」は250百万円である。　　　　　　　　　　　　　　　　　　　　　　　（**O**　**×**）

第1章

第2章

第3章

第4章

第5章

第6章

第7章

第8章

第9章

第10章

解答・解説

番号	解答	解　　説
1	O	企業集団は、親会社・子会社・関連会社から構成されます。
2	O	親会社・子会社の定義に関する一般的な記載です。子会社の判定＝「支配」、関連会社の判定＝「重要な影響」という関係を押さえておきましょう。
3	×	親会社では、個別財務諸表と連結財務諸表の両方が作成され、開示されます。
4	O	連結財務諸表は、各連結会社で作成された個別財務諸表を基礎として、親会社が作成します。
5	O	単純合算、一定の連結調整の手続き、持分法の適用という手順により、連結財務諸表が作成されます。
6	×	議決権の所有については、親会社が直接所有する場合のほか、子会社を通じて間接的に所有する場合も、親会社による所有があると考えます。B社はP社に議決権の過半数を所有されているため、P社の子会社に該当します。P社・B社の所有をあわせると、A社の議決権の過半数を所有していることになるので（35％＋25％＝60％）、A社はP社の子会社に該当します。
7	O	議決権の20％以上の所有があるので、関連会社に該当します。なお、所有が一時的なものと認められる場合には、関連会社に該当しないことになっています。
8	O	連結の範囲に含まれる会社を連結子会社、含まれない子会社を非連結子会社といいます。
9	×	子会社・関連会社の両方の要件を満たす会社は、子会社であると考えます。子会社・関連会社の両方の要件を満たす場合、両方に該当するという考え方はありませんので、注意しましょう。

番号	解答	解　　説
10	○	子会社と親会社は対になります。親会社と子会社の間には、支配・被支配の関係が成立します。
11	○	持分法の一般的な定義です。空欄補充の形式で問われてもよいように押さえておきましょう。
12	×	持分法は、<u>非連結子会社</u>と<u>関連会社</u>に適用されます。持分法を適用する会社をあわせて、持分法適用会社といいます。
13	○	「一行連結」に対して、通常の連結を「完全連結」「全部連結」ということもあります。
14	○	純資産の増加額1,000百万円×持分割合25％＝250百万円となります。厳密には、投資消去差額や連結会社との取引の有無などが影響します。設問では、それらがなかったとされているので、当期純利益のうち、持分割合に見合う部分が持分法による投資利益となります。なお、投資消去差額などがある場合の計算については、検定試験2級では、出題範囲ではないと考えられます。持分法による投資損益の数値を求める出題では、ひとまず「純資産の増加額×持分割合」と考えればよいでしょう。

第1章
第2章
第3章
第4章
第5章
第6章
第7章
第8章
第9章
第10章

第**3**章

貸借対照表の理解

1 資産の評価基準の種類

Point

- 資産の評価基準には、取得原価による基準、時価による基準、現在価値による基準がある。
- 取得原価には、購入代金に加えて付随費用が含まれる。
- 時価には、再調達原価と正味売却価額がある。

1．資産の評価の基準について理解しよう

　貸借対照表の各項目をどのような金額で計上するかについては、貸借対照表の項目ごとに定められています。資産の場合には、大きく分けて、取得原価による基準と時価による基準、そして、現在価値による基準があります。

　原則として、事業用資産は取得原価により計上され、現金・売上債権を除く金融資産は時価により計上されます。

> **事業用資産と金融資産：**
> 企業の本来の活動（製造や販売など）に使用されるものを事業用資産という。また、余剰資金の運用・待機中の資産を金融資産という。

2．取得原価、時価、現在価値について理解しよう

①取得原価

　取得原価は、**その資産を取得するのに要した支出額**と説明されます。引取運賃などの付随費用がある場合には、購入代金に加えて取得原価とします。

②時価

　時価は、次のような考え方で説明されます。

- **再調達原価**　……………その資産を、いま再び取得すると仮定したときに必要となる支出額。**取替原価**ともいう。

・**正味売却価額** …………その資産を、いま処分すると仮定したときに回収できる金額。「売価−（見積追加製造原価＋見積販売直接経費）」で計算される。**正味実現可能価額**ともいう。

③現在価値

その資産から将来得られる現金収入額（将来キャッシュ・フロー）について、利子率により時間の経過を考慮して、現時点の価値に割り戻した金額をいいます。

たとえば、いま手元に100万円があって、これを定期預金に預けたとします。年利が3%であれば、1年後の受取額は、利息とあわせて103万円になります。見方を変えて、1年後に受け取る103万円の現在価値は100万円と考えるわけです。

第1章
第2章
第3章
第4章
第5章
第6章
第7章
第8章
第9章
第10章

◎時価の算定

最も信頼できる価格とは、活発な市場での同一の資産に関する相場価格であり、調整されていないものが最適です。この価格が利用できる場合には、原則として、相場価格を調整せずに時価を算定します。

難しい表現ですが、株式の時価を考えるとイメージしやすいです。証券市場（活発な取引がある売買市場）で公開されている価格が、時価として最も信頼できるということです。

2 有価証券の貸借対照表価額

Point

- 有価証券は、保有目的により、①売買目的有価証券、②満期保有目的の債券、③子会社株式・関連会社株式、④その他有価証券の４つに分類される。
- 有価証券の貸借対照表価額と評価差額の処理は、保有目的による分類によって異なる。
- 弁済（償還）予定額と異なる金額で債権・債務を取得した場合に、貸借対照表価額を算定する方法を、償却原価法という。

１．有価証券の保有目的による分類を理解しよう

　有価証券は、保有する目的によって４つに分類されます。貸借対照表にどのような金額で計上されるかは、この区分によって異なります。まず、有価証券の保有目的による分類を整理しましょう。

①売買目的有価証券………時価の変動により、売却することで利益を得る目的で保有するもの

②満期保有目的の債券……満期がある債券（国債、社債等）で、満期まで保有し続ける予定のもの

③子会社株式・関連会社株式

④その他有価証券…………上記①〜③のいずれにも該当しないもの

２．有価証券の貸借対照表価額を理解しよう

　有価証券の貸借対照表に計上される金額（貸借対照表価額）は、**保有目的**の分類によって、次のように異なります。

①売買目的有価証券………時価による。

②満期保有目的の債券……取得原価による。ただし、債券金額と取得価額の差額が金利の調整と認められる場合は、償却原価法（P.48参照）による。

③**子会社株式・関連会社株式**…… 取得原価による。

④**その他有価証券**………… 時価のあるものは、時価による。時価の
　　　　　　　　　　　　　ないものは、債券・その他で次のように
　　　　　　　　　　　　　異なる。

　　　　　　　　　　　　　　　・債券 → 取得原価または償却原価法
　　　　　　　　　　　　　　　・その他 → 取得原価

3. 有価証券の評価差額の処理について理解しよう

　取得価額と貸借対照表価額の差額（評価差額）の処理も、保有目的の分類によって、次のように異なります。

①**売買目的有価証券**……… 有価証券評価益または有価証券評価損
　　　　　　　　　　　　　を計上する。

②**満期保有目的の債券**…… 取得原価による場合は、評価差額はない。
　　　　　　　　　　　　　償却原価法（P.48参照）による場合は、償
　　　　　　　　　　　　　却額を投資有価証券利息として計上する。

③**子会社株式・関連会社株式**…… 取得原価によるため、評価差額はない。

④**その他有価証券**………… 時価のあるものは、次のいずれかによる。

　　　　　　　　　　　　　　　・純資産の部に、その他有価証
　　　　　　　　　　　　　　　　券評価差額金として計上
　　　　　　　　　　　　　　　・差益の場合は、純資産の部に、その
　　　　　　　　　　　　　　　　他有価証券評価差額金を計上。差損
　　　　　　　　　　　　　　　　の場合は、投資有価証券評価損とし
　　　　　　　　　　　　　　　　て計上

　　　　　　　　　　　　　時価のないものは、以下のとおり。

　　　　　　　　　　　　　　　・取得原価による場合
　　　　　　　　　　　　　　　　→　評価差額なし
　　　　　　　　　　　　　　　・償却原価法による場合
　　　　　　　　　　　　　　　　→　償却額を投資有価証券利息
　　　　　　　　　　　　　　　　　　として計上

４．償却原価法について理解しよう

　償却原価法は、**弁済（償還）予定額と異なる金額で債権・債務を取得した場合**に、その債権・債務の貸借対照表価額を算定する方法です。有価証券（債券）の場合にも適用されます。

　償却原価法では、取得した金額と償還予定額の差額を、取得時から償還までの期間にわたって、一定の方法により収益または費用として計上します。取得原価にこの償却額を加算または減算することで、貸借対照表価額を算定します。

　償却の方法には、定額法と利息法があります。定額法は、差額を毎期均等に償却する方法です。**図表 3-1** に例を示します。

図表 3-1　定額法による償却原価法の例

> 取得価額と額面の差額を、毎期一定の方法で加算する。
> （例）2年目の貸借対照表価額
> 970万円＋10万円＋10万円＝990万円

各期の投資有価証券利息として計上する。

3年後の償還額面が1,000万円の国債

取得価額970万円

1年目10万円
2年目10万円
3年目10万円

額面1,000万円

取得時　　　　　　　　　　償還時

✎ 検定対策

▶ 償却原価法の利息法は、取得原価と額面の差額を複利計算の考え方により配分する方法です。

▶ 利息法は計算が複雑となるため、実際に金額を計算させる問題が出される可能性は低いと考えられます。

▶ まずは、定額法と利息法の２つの方法があることを押さえておきましょう。

3 棚卸資産の貸借対照表価額

Point

- 取得後、消費や滅失により払い出されたものが、費用として損益計算書に計上され、期末に残った分（期末棚卸高）が、資産として貸借対照表に計上される。
- 払出し分と期末在高に配分する方法には、先入先出法、総平均法、移動平均法、個別法、売価還元法がある。
- 評価は原価法と低価法のいずれかによる。低価法が適用される場合には、取得原価と時価（正味売却価額）が比較される。

1．棚卸資産の原価配分について理解しよう

　取得した棚卸資産のうち、販売や製造によって払い出されたものは、費用として損益計算書に計上されます。そして、期末に手元に残った分だけが、資産として貸借対照表に計上されます。棚卸資産が費用として配分される流れを図で示すと、**図表 3-2** のとおりです。

図表 3-2　棚卸資産の費用配分の流れ

2．当期払出し分と期末在高に配分する方法を理解しよう

　受入れのつど、購入単価が異なる場合、期末に存在する棚卸資産の取得原価をどのように決定するかについては、いくつかの考え方があります（**図表 3-3**）。

図表 3-3　棚卸資産の評価の方法

方法	内容
先入先出法	先に受け入れたものから順に払い出されると仮定して、取得原価を払出し分と期末在高に配分する方法
総平均法	その期間の総受入高から平均受入単価を求め、その単価により、払出し分と期末在高に配分する方法
移動平均法	受入れのつど、その時点までの平均受入単価を求め、その単価により、払出し分と期末在高に配分する方法
個別法	個別に取得原価を把握する方法 （受入れ・払出しの結果、残ったものの実際の購入単価により取得原価が算定される。）
売価還元法	値入率（商品原価と売価の差額の原価に対する比率）等の類似するものごとの期末の売価合計額に、原価率を掛け合わせた金額を期末棚卸資産の価額とする方法

３．棚卸減耗損と棚卸評価損を理解しよう

①棚卸減耗損の把握

　通常、棚卸資産の受入れ・払出しは継続して記録されるので、期末在高は帳簿の記録により把握可能です。一方、期末には実地棚卸を行い、実際の在高を把握します。この結果、判明した減失などによる減少分は、棚卸減耗損として損益計算書の売上原価・製造原価・販売費・営業外費用などに区分されます。

②棚卸資産の貸借対照表価額

　貸借対照表に計上する金額は、取得原価と時価を比較して低いほうを採用することができます（**低価法**）。ここでの時価は、正味売却価額です。

　低価法を適用したことによる評価損は、商品評価損として費用に計上されます。商品・製品の区分や発生原因により、損益計算書の売上原価・製造原価・販売費・営業外費用などに区分されます。

4 繰延税金資産

Point

- 税効果会計は、損益計算書上の法人税、住民税及び事業税の税負担額を税金等調整前当期純利益に対応させるための会計処理である。
- 一時差異に対応する税額を繰延税金資産（または繰延税金負債）として貸借対照表に計上し、法人税等調整額を損益計算書に計上する。

１．税効果会計の考え方を理解しよう

①損益計算書の利益と税法上の所得

　法人税、住民税及び事業税（以下、本項では「法人税等」といいます。）は、企業の所得を基礎として課税されます。

　所得の金額の計算は、税法に定められていて、損益計算書の利益とは必ずしも一致しません。損益計算書では収益・費用として計上していても、税法が定める要件を満たさないために、その期の所得の計算には反映されず、**翌期以降の所得に反映される**といった場合などがあるからです。「企業会計上の資産・負債と、課税所得計算上の資産・負債に差異が生じている」と表現されることもあります。

　所得となるタイミングの違いにより生まれる企業会計上の利益と所得との差を、**一時差異**といいます。

　所得の金額は、損益計算書の当期純利益からスタートして、一時差異などに関する金額を加算・減算して計算されます。法人税等の実際の課税額は、所得に対して計算されます。

②税効果会計による調整

　連結損益計算書上、税負担額を**税金等調整前当期純利益に対応するように調整する**会計処理を、税効果会計といいます。

　実際の課税額を、そのまま損益計算書に法人税等として計上すると、法人税等の金額は税金等調整前当期純利益とは対応しません。

上記①で述べたとおり、法人税等の金額は、企業会計上の利益ではなく**所得の金額**を基礎として計算されているからです。

　税金等調整前当期純利益と対応するように法人税等の負担を損益計算書に反映させるためには、別途、調整が必要です。そこで、企業会計上の利益から所得を計算するさいの加算・減算項目（**一時差異項目**）に対応する税額について、調整が行われます。

２．繰延税金資産・繰延税金負債について理解しよう

①繰延税金資産

　一時差異によって、当期純利益に対して**加算の調整**が行われる場合には、実際の課税額は、税金等調整前当期純利益に対して負担が重くなっているはずです。この場合には、税金の前払いが行われると考えます。貸借対照表には、一時差異に対応する税額部分を、**投資その他の資産**の項目として繰延税金資産を計上します。同時に、損益計算書には、**法人税等調整額**として利益を計上して、税負担を軽くします。

②繰延税金負債

　反対に、一時差異によって、当期純利益に**減算の調整**がある場合には、実際の課税額は、税金等調整前当期純利益に対して不足しているはずです。貸借対照表には、一時差異に対応する税額部分を、**固定負債**の項目として繰延税金負債を計上します。同時に、損益計算書には、**法人税等調整額**として損失を計上して、税負担を重くします。

5 固定資産の貸借対照表価額

Point

- 有形固定資産・無形固定資産については、減価償却により年々の価値の下落が反映される。
- 取得価額から減価償却累計額を差し引いた残額が貸借対照表価額として計上される。
- 減損処理は、資産の収益性が著しく低くなった場合に行われる帳簿価額の切下げである。
- 減損損失は、損益計算書の特別損失の区分に表示される。

1. 有形固定資産・無形固定資産の評価を理解しよう

①減価償却費と帳簿価額

　有形固定資産や無形固定資産は、通常、1年を超えて長期にわたり使用されます。**使用や時間の経過による価値の減少**は各期の減価償却費として損益計算書に反映されます。無形固定資産は、貸借対照表に、取得評価額から**減価償却累計額**を差し引いた残額（**未償却残高**）が計上されます。未償却残高のことを、帳簿価額といいます。有形固定資産は、このほか、取得価額から減価償却累計額を控除し、未償却残高を表示することもあります。

図表 3-4　取得原価と減価償却費・減価償却費累計額

②減価償却の方法

　減価償却の主な方法には、**定額法**と**定率法**があります（**図表 3-5**）。

図表 3-5　定額法と定率法

方法	仮定（考え方）	計算方法
定額法	資産の価値は、使用する期間（耐用年数）にわたって平均的に減少する。	（取得原価－残存価額）÷耐用年数
定率法	資産の価値は、一定割合ずつ毎年下落する。	期首の帳簿価額×償却率

２．固定資産の減損処理について理解しよう

①帳簿価額の減額

　固定資産を減価償却により評価する考え方は、固定資産を利用することで、一定の収益が得られることを前提としています。資産の収益性が著しく低下し、投資額の回収が見込めなくなった場合には、減価償却とは別に帳簿価額の減額が必要です。

　減損処理は、投資額の回収が見込めなくなったことにより行う帳簿価額の切下げです。減損処理による帳簿価額の減額分は、損益計算書の特別損失に**減損損失**などとして計上されます。

　また、減損処理後は、切下げ後の帳簿価額をもとに減価償却が行われます。

②減損損失の計算

　減損処理により、帳簿価額は回収可能価額まで切り下げられます。回収可能価額は、**正味売却価額**と、**使用価値**（その資産から得られる将来キャッシュ・フローの割引現在価値）のうち、いずれか高い金額です。

◎土地の評価・・・減価償却と減損処理

　土地については、利用や時間の経過により価値が減少するわけではないため、減価償却は行われません。
　ただし、事業の休止や地価の大幅な下落などにより投資額が回収できなくなることはありうるため、減損処理は行われます。

6 負債の分類と引当金

第1章
第2章
第3章
第4章
第5章
第6章
第7章
第8章
第9章
第10章

Point

- 負債は、法律上の債務との関係から、確定債務、条件付債務、法律上の債務でない負債に分類される。
- いまは発生していない費用や損失であっても、一定の場合には発生の可能性を見積もって、確定債務ではないが引当金を計上する。
- 貸倒引当金と投資評価引当金は、評価性引当金であり、流動資産または投資その他の資産に、控除項目として計上される。

1．法律上の債務と負債の関係を理解しよう

負債とは、企業が負担すべき義務で**金額で示すことができるもの**をいいます。よって、負債は法律上の債務とは必ずしも一致しません。法律上の債務との関係では、**図表3-6**のように分類されます。

図表3-6　法律上の債務と負債

2．引当金について理解しよう

引当金は、**将来の費用または損失**を見積もって計上するものです。①将来の特定の費用・損失であるものの、②その原因が当期以前にあり、③発生の可能性が高く、かつ、④その金額を合理的に見積もることができるという、4つの条件を満たす場合に計上されます。

引当金は、**図表3-7**のとおり、**評価性引当金**と**負債性引当金**に分類されます。

図表 3-7　引当金の分類

分類	内容
評価性引当金	資産の価値が将来減少する可能性を見積り、資産の評価を控除するもの
負債性引当金	将来に費用・損失が発生する可能性を見積り、負債として認識するもの

　また、引当金を表示区分ごとにまとめると、**図表 3-8** のとおりです。

図表 3-8　主な引当金

表示区分	項目	内容
流動資産・固定資産（※1）	貸倒引当金	債権（売掛金、貸付金など）の貸倒れの可能性を見積もって計上する。（※2）
	投資評価引当金	関係会社への投資の価値低下に備えて計上する。
流動負債	賞与引当金	従業員に対する賞与の支払額を見積もって計上する。
	・製品保証引当金 ・工事補償引当金	販売した製品のアフターサービスや行った工事の事後の補償のために発生する費用を見積もって計上する。
	修繕引当金	有形固定資産の修繕について、次期以降に見込まれる費用を見積もって計上する。

（※1）貸倒引当金は、評価性引当金であるため、流動資産または固定資産（投資その他の資産）の区分に、控除（マイナス）項目として表示される。

（※2）貸倒れの可能性は、債権を債務者ごとに次の3つの区分に分類し、それぞれについて定められた算定方法で算出する（ここでは、算定方法の詳細については省略）。
　　　・一般債権……………経営状態に重大な問題が生じていない債務者
　　　・貸倒懸念債権………経営破綻の状況には至らないが、債務の弁済に重大な問題が生じる可能性がある債務者
　　　・破産更生債権等……経営破綻または実質的に経営破綻の状態にある債務者

　貸倒引当金と投資評価引当金は評価性引当金に、その他の引当金は負債性引当金に該当します。

7 その他の資産・負債の貸借対照表価額

第1章
第2章
第3章
第4章
第5章
第6章
第7章
第8章
第9章
第10章

Point

- 繰延資産は、すでに対価の支払いが完了し、役務の提供を受けているものの、将来の期間にわたって効果（収益）が期待されるために資産として計上される。
- 創立費、開業費、株式交付費、社債発行費、開発費がある。
- その他の資産・負債についても、それぞれの種類に応じた価額で貸借対照表に計上される。
- 契約資産は、法律に基づき成立する請求権（法的債権）は有しないが、法的債権に準ずる権利として貸借対照表に計上される。
- 契約負債は、通常、前受金として貸借対照表に計上される。

1．繰延資産の貸借対照表価額について理解しよう

①繰延資産の考え方

　繰延資産とは、すでに対価の支払いが完了し、役務の提供を受けているものの、受けた役務の効果は**将来の期間に収益となって現れることが期待される**ために、資産として貸借対照表に計上されるものです。

　将来に現れる効果（収益）と対応させるため、毎期均等額を費用として計上します。したがって、貸借対照表には、**費用化していない残額**が計上されます。

②繰延資産の種類

- **創立費**…………会社の設立のためにかかった費用
- **開業費**…………会社の設立後、開業準備のためにかかった費用
- **株式交付費**……株式の交付のために直接かかった費用
- **社債発行費**……社債の発行のために直接かかった費用
- **開発費**…………新技術の開発や市場の開拓のためにかかった費用

２．その他の資産・負債の貸借対照表価額について理解しよう

その他の資産・負債についての貸借対照表価額をまとめると、**図表 3-9** のとおりです。

図表 3-9　その他の資産・負債の貸借対照表価額

表示区分	項目	貸借対照表価額
流動資産	現金及び預金	券面額、預金額
	受取手形及び売掛金	手形金額、受取予定額
	電子記録債権	受取予定額
	契約資産	未請求の受取予定額
流動負債	支払手形及び買掛金	手形金額、要支払額
	電子記録債務	要支払額
	リース債務	要支払額
	短期借入金	借入金額
	コマーシャル・ペーパー（※1）	額面金額（※2）
	契約負債	前受額
固定負債	社債	額面金額（※2）
	長期借入金	借入金額

（※1）市場から短期の資金を調達するために発行される無担保の約束手形。ＣＰともいう。
（※2）額面金額と調達（借入）金額が異なる場合には、償却原価法（P.48 参照）により算定された金額。

図表 3-9 の契約資産と契約負債は、改正収益認識基準（令和３年４月１日以降開始の事業年度から適用）によって生まれた概念です。

契約資産とは、顧客に移転した財またはサービスと交換に受け取る対価にもつ、企業の権利です。ただし、顧客との契約から生じた債権を除きます。

また、契約負債とは、財またはサービスを顧客に移転する前に対価を受け取る場合に、顧客から対価を受け取ったとき、または、受

け取る期限が到来したときのいずれか早い時点で顧客から受け取る対価にもつ、企業の債務です。通常は、前受金として貸借対照表に計上されます。

第1章
第2章
第3章
第4章
第5章
第6章
第7章
第8章
第9章
第10章

◎**契約資産の考え方**

　たとえば、完成まで3年かかる工事の請負契約で、代金は、工事完成後に3,000,000円一括で決済するというケースで考えてみます。
　1年目の決算では収益を1,000,000円認識しますが、まだ、請求権（法的債権）がある訳ではないため、売掛金は計上できません。そこで、契約資産という科目で処理しておきます。2年目も同様に処理します。3年目に完成し、顧客に引き渡しを行い、請求書を発行します。請求書を発行した（法的な請求権が生じた）段階で、契約資産から売掛金に振り替える処理を行います。
　請求権を有するものが売掛金、請求権ではないがそれに準ずる権利が契約資産と考えればいいでしょう。

◎リース取引の種類とリース会計基準

（1）リース取引の種類
　リース取引は、ファイナンス・リース取引とオペレーティング・リース取引に分類されます。
①ファイナンス・リース取引
　リース契約に基づくリース期間中契約を解除することができない取引で、借手がリース物件から経済的利益を受け、かつ、リース物件の使用にともなうコストを負担する取引をいいます。さらに、リース期間終了後またはリース期間中にリース物件の所有権が借手に移転する所有権移転ファイナンス・リース取引と、移転しない所有権移転外ファイナンス・リース取引に分かれます。
②オペレーティング・リース取引
　ファイナンス・リース取引以外のリース取引をいいます。

（2）リース取引の表示区分
　貸手は、リース取引の開始日に、所有権移転外ファイナンス・リース取引についてはリース投資資産、所有権移転ファイナンス・リース取引についてはリース債権を貸借対照表に計上します。リース投資資産は、将来のリース料を受け取る権利（リース料債権）と見積残存価額から構成されます。
　リース投資資産とリース債権は、リース料総額またはリース物件の現金購入価額を、次の区分で表示します。

> ①会社の主目的の営業取引により発生したもの：流動資産
> ②営業の主目的以外の取引により発生したもののうち、
> 　a.貸借対照表日の翌日から起算して入金期限が1年以内に到来するもの：流動資産
> 　b.貸借対照表日の翌日から起算して入金期限が1年を超えて到来するもの：固定資産

（3）リース会計基準の改正
　2023年5月、企業会計基準委員会（ASBJ）から「リースに関する会計基準（案）」が公開されました。この案では、借手が利用するすべてのリース取引を、原則として、オンバランス処理（リース資産とリース債務を貸借対照表に計上）する方針が示されました。新しいリース会計基準が適用されると、オペレーティング・リース取引であっても資産と負債の記録が求められるようになります。

8 純資産の分類① 株主資本

Point

- 純資産の部は、株主資本、その他の包括利益累計額、株式引受権、新株予約権、非支配株主持分から構成される。
- 株主資本は、資本金、資本剰余金、利益剰余金、自己株式で構成される。
- 自己株式は、株主資本の実質的な払戻しであり、株主資本のマイナス項目として計上される。

1. 純資産の構成を理解しよう

貸借対照表の純資産の部は、大きく、**株主資本、その他の包括利益累計額、株式引受権、新株予約権、非支配株主持分**の5つから構成されています。

図表 3-10 純資産の構成

株主資本	資本金	
	資本剰余金	資本準備金
		その他資本剰余金
	利益剰余金	利益準備金
		その他利益剰余金
	自己株式	
その他の包括利益累計額	その他有価証券評価差額金	
	繰延ヘッジ損益	
	土地再評価差額金	
	為替換算調整勘定	
株式引受権		
新株予約権		
非支配株主持分		

2．株主資本の内容を理解しよう

　株主資本を構成する各項目の内容は、**図表 3-11** のとおりです。

図表 3-11　株主資本の主な内容

項目		内容
資本金		株式の発行により株主から会社へ払い込まれた金額 ……会社法では、払い込まれた金額の一部を資本金としないことができる。資本金とされなかった金額（株式払込剰余金）は、資本準備金とされる。
資本剰余金		株主からの資本の拠出などにより生じた剰余金
	資本準備金	資本剰余金のうち、会社法により積立てや取崩しについて規制されているもの
	その他資本剰余金	資本剰余金のうち、資本準備金以外のもの ……資本準備金の取崩しや自己株式の処分などにより生じる。
利益剰余金		企業が稼いだ利益のうち、配当などにより分配されず、会社に留保されたもの
	利益準備金	利益剰余金のうち、会社法により積立てや取崩しについて規制されているもの
	その他利益剰余金	利益剰余金のうち、利益準備金以外のもの
自己株式		自社の発行する株式 ……実質的に株主資本の払戻しにあたるため、株主資本の部の控除（マイナス）項目として計上される。自社内で保管するため、金庫株とも呼ばれる。

9 純資産の分類② 株主資本以外の純資産

Point

- その他の包括利益累計額には、その他有価証券評価差額金、繰延ヘッジ損益、土地再評価差額金、為替換算調整勘定がある。
- 株式引受権は、一定の条件を達成した場合に、取締役等が自社株式を受け取ることができる権利をいう。
- 非支配株主持分とは、連結子会社の純資産のうち非支配株主に帰属する部分である。

1．その他の包括利益累計額の内容を理解しよう

　貸借対照表の項目のなかには、有価証券などのように取得原価とは異なる価額で計上されるものがあります。

　取得原価と貸借対照表価額の差額（評価差額）のうち、各年度の経営成績に反映させることが適当でないものについては損益計算書に計上しません。このような場合には、評価差額を、貸借対照表の**純資産の部**にその他の包括利益累計額として表示します。

図表 3-12　その他の包括利益累計額の内容

項目	内容
その他有価証券評価差額金	その他有価証券について、時価評価を行った場合の評価差額にかかるもの（P.47 参照）
繰延ヘッジ損益	デリバティブ取引について、ヘッジ会計を行った場合のデリバティブ取引の評価差額など
土地再評価差額金	土地再評価法により、土地の再評価を行った場合の評価差額にかかるもの
為替換算調整勘定	海外の連結子会社の財務諸表を為替換算（外貨→邦貨）することなどによるもの

> デリバティブ取引：
> 株式、金利、為替などの原資産から派生した金融商品の取引。先渡取引、先物取引、オプション取引、スワップ取引などがある。

２．株式引受権について理解しよう

　株式引受権とは、業績目標など一定の条件を達成した場合に、取締役等が報酬などとして、**金銭の払込みを要せずに自社株式を受け取ることができる権利**です。主に、上場企業で利用されています。

　株式引受権は、あくまでも株式を取得できる権利であり、株式そのものではありません。権利の保有者は、まだ株主ではないため、株主資本とは別の区分とされています。

３．新株予約権について理解しよう

　新株予約権とは、将来、その会社の株式を**あらかじめ定めた一定の金額で取得できる権利**をいいます。会社法では、株式そのものとは別に、このような権利を発行することを予定しています。

　対価を得て新株予約権を発行した場合には、純資産の部に、新株予約権という独立の項目で区分して表示します。新株予約権は、あくまでも株式を取得できる権利であり、株式そのものではありません。このため、株主資本とは別の区分とされています。

４．非支配株主持分について理解しよう

　少数株主持分は、連結貸借対照表のみに表示される項目です。

　連結子会社の純資産のうち、非支配株主に帰属する部分を表します（P.36 参照）。

🖉 検定対策

　▶ 検定試験２級の対策としては、その他の包括利益累計額の内訳として、その他有価証券評価差額金、繰延ヘッジ損益、土地再評価差額金、為替換算調整勘定があることまでを押さえておきましょう。

　▶ 検定試験２級では、ヘッジ会計や、土地再評価法による土地の再評価、為替換算についてまで問われることはないと考えられます。内訳項目として、これらがあるということを理解すればよいでしょう。

理解度チェック

次の記述のうち、適切と思われるものは○に、不適切と思われるものは×に、それぞれ丸を付けなさい。

1. 償却原価法とは、金融資産または金融負債を債権額または債務額と異なる金額で計上した場合において、当該差額に相当する金額を弁済期または償還期に至るまで毎期、一定の方法で取得価額に加減する方法である。 (**O** ×)

2. 子会社株式および関連会社株式のうち、時価のないものについては、償却原価法が適用される。 (**O** ×)

3. その他有価証券の貸借対照表価額は、市場価格の有無にかかわらず、取得原価である。 (**O** ×)

4. 貸倒引当金(貸倒見積高)の算定方法は、(a)一般債権、(b)貸倒懸念債権、(c)破産更生債権等ごとに定められている。 (**O** ×)

5. 破産更生債権等とは、経営破綻の状況には至っていないが、債務の弁済に重大な問題が生じているか、または生じる可能性が高い債務者に対する債権をいう。 (**O** ×)

6. 無形固定資産は、未償却残高が貸借対照表価額となる。 (**O** ×)

7. 繰延資産は、未償却残高が貸借対照表価額となる。 (**O** ×)

8. 創立費とは、土地、建物などの賃借料や広告宣伝費などで、会社創立後営業開始時までに支出した開業準備のための費用をいう。 (**O** ×)

9. 企業会計上の資産または負債の金額と課税所得上の資産または負債の金額との差異のうち、将来において法人税等の支払額を減額する効果を有する差異に対応する税額部分は、会計上、法人税等の前払いと考えられ、繰延税金資産として表示する。 (**O** ×)

10. 買掛金は法的債務である負債であり、退職給付引当金は法的債務ではない負債である。 (**O** ×)

11. 履行すべき期日、相手方、金額の少なくとも1つが確定していない債務を条件付債務という。　　　　　　　　　　　**(O　×)**

12. 割引発行された社債は、発行会社の貸借対照表上、社債の額面金額で表示される。　　　　　　　　　　　　　　　　**(O　×)**

13. 株主資本は、資本金、資本剰余金、利益剰余金および自己株式に区分される。　　　　　　　　　　　　　　　　　　**(O　×)**

14. 資本金とともに払込資本と呼ばれる資本剰余金は、資本準備金とその他資本剰余金に区分される。　　　　　　　　　**(O　×)**

15. 利益剰余金は、企業が稼いだ利益のうち分配されずに企業内に蓄積された金額であり、留保利益とも呼ばれる。　　　**(O　×)**

16. 自己株式の取得は、実質的に資本の払戻しであるため、株主資本から控除することになっている。　　　　　　　　　**(O　×)**

17. 自己株式を処分したさいに生じた売却益は資本剰余金の性格を有しており、その他資本剰余金に含まれる。　　　　　**(O　×)**

18. 純資産におけるその他の包括利益累計額には、その他有価証券評価差額金、繰延ヘッジ損益、土地再評価差額金、および為替換算調整勘定が含まれる。　　　　　　　　　　　　　　　　**(O　×)**

19. 連結貸借対照表上、非支配株主持分は株主資本の区分に控除項目として表示される。　　　　　　　　　　　　　　**(O　×)**

20. 株式引受権とは、業績目標など一定の条件を達成した場合に、取締役等が報酬などとして、市場価格より低額の払込みで自社株式を受け取ることができる権利をいう。　　　　　　**(O　×)**

解答・解説

番号	解答	解　　説
1	O	償却原価法の一般的な定義です。償却原価法は有価証券以外にも、債権・債務の評価に広く適用されるため、このような定義となっています。定額法と利息法の2つの方法があることもあわせて押さえておきましょう。なお、利息法については計算が複雑であるため、検定試験2級では、利息法で金額の計算を求める問題は出ないと考えてよいでしょう。
2	×	子会社株式および関連会社株式の評価は、<u>時価の有無にかかわらず取得原価による</u>ことが原則です。
3	×	その他有価証券のうち、<u>市場価格（時価）のあるものについては、期末の時価を貸借対照表価額</u>とします。
4	O	区分ごとの算定方法の詳細については、検定試験2級では、出題範囲ではないと考えられます。対策として、3つの区分があることを押さえておけばよいでしょう。
5	×	設問は、<u>貸倒懸念債権</u>の定義です。破産更生債権等とは、<u>経営破綻または実質的に経営破綻の状態にある債務者</u>に対する債権をいいます。
6	O	無形固定資産の場合には、取得評価額から減価償却累計額を控除した後の未償却残高のみが表示されます。一方、有形固定資産では、取得価額から減価償却累計額を控除する形式で未償却残高を表示する場合があります。
7	O	繰延資産は支出の効果と対応させるため、一定の期間にわたって償却されます。未償却残高が貸借対照表価額となります。
8	×	設問は、<u>開業費</u>の定義です。創立費は、<u>会社設立までに要した費用</u>をいいます。
9	O	繰延税金資産の定義として押さえておきましょう。
10	×	退職給付引当金は、雇用契約等に基づく退職給付（退職一時金や退職年金）の支払義務に備えるものです。一般的には、<u>法的債務である負債</u>と考えられます。

番号	解答	解　　説
11	O	たとえば、退職給付債務は、履行の期日・金額が確定していないため確定債務ではなく、条件付債務に該当します。
12	×	割引発行とは、社債を額面金額より低い金額で発行することをいいます。社債の額面と発行金額が異なる場合には、社債の発行者側も、償却原価法で計算された金額を計上します。
13	O	株主資本の基本的な構成です。確実に押さえておきましょう。
14	O	純資産の部の内訳については、貸借対照表の空欄を補充する形式で問われても対応できるよう、このレベルまでは押さえておきましょう。
15	O	払込資本、留保利益というのは、貸借対照表での区分とは別に、株主資本の源泉に着目して区分する場合の呼び方です。留保利益に対比して、株主からの払込みなどによる元手となる部分を払込資本といいます。
16	O	自己株式は株主資本の控除項目であり、貸借対照表や株主資本等変動計算書でも、△で表示されます。あわせて確認しておきましょう。
17	O	自己株式の売却などによる処分は、実質的には、株式の発行を意味します。したがって、自己株式の売却益は、資本の払込みのさいに生じた剰余額と同様の性格であると考えて、資本剰余金とされます。貸借対照表では自己株式処分差益として、その他資本剰余金の区分に表示されます。
18	O	検定試験2級の対策としては、その他の包括利益累計額に含まれる項目として、その他有価証券評価差額金、繰延ヘッジ損益、土地再評価差額金、為替換算調整勘定があるということを理解しておけばよいでしょう。
19	×	株主資本の区分の控除項目として表示されるのは自己株式です。非支配株主持分は、株主資本とは別の項目として表示されます。なお、非支配株主持分の残高がマイナスとなることはありません。
20	×	株式引受権は、業績目標など一定の条件を達成した場合に、取締役等が報酬などとして、金銭の払込みを要せずに自社株式を受け取ることができる権利です。

第 **4** 章

損益計算書の理解

1 連結損益計算書の構成

Point

- 連結損益計算書では、税引前当期純利益に代えて、税金等調整前当期純利益という利益区分が設けられている。
- 連結損益計算書固有の項目として、非支配株主に帰属する当期純利益（非支配株主に帰属する当期純損失）、親会社株主に帰属する当期純利益（親会社株主に帰属する当期純損失）がある。

1．連結損益計算書の構成を理解しよう

　連結損益計算書の構成は、次ページの**図表 4-1** のとおりです。（個別）損益計算書と同様に、当期純利益までの５段階の利益から構成され、そこからさらに非支配株主に帰属する当期純利益を差し引いて親会社株主に帰属する当期純利益が表示されます。

2．個別損益計算書との違いを理解しよう

①税金等調整前当期純利益

　経常利益に特別利益を加え、特別損失を差し引いた利益を、連結損益計算書では、税金等調整前当期純利益と表示します。

②非支配株主に帰属する当期純利益（当期純損失）

　非支配株主に帰属する当期純利益（当期純損失）は、連結子会社の利益（損失）のうち、**非支配株主に帰属する金額**をいいます。

　当期純利益を計算する最終の段階に表示されます（P.37 参照）。

③親会社株主に帰属する当期純利益（当期純損失）

　税金等調整前当期純利益から税金等を控除した当期純利益は、連結グループ全体の利益（損失）となります。

　親会社株主に帰属する当期純利益は、連結グループ全体の利益である当期純利益から、上記②の非支配株主に帰属する当期純利益を

差し引くことで算出され、**親会社株主に帰属する金額**を表します。

図表 4-1　連結損益計算書の構成

項目	金額（百万円）	
売上高 売上原価	100,000 70,000	
売上総利益	30,000	
販売費及び一般管理費	20,000	
営業利益	10,000	
営業外収益 営業外費用	3,000 2,000	
経常利益	11,000	
特別利益 特別損失	400 800	
税金等調整前当期純利益	10,600	
法人税、住民税及び事業税 法人税等調整額	4,600 △300	4,300
当期純利益	6,300	
非支配株主に帰属する当期純利益	400	
親会社株主に帰属する当期純利益	5,900	

✐ **検定対策**

▶ 連結損益計算書の構造を示し、項目・金額について空欄を補充させる出題が考えられます。

▶ 非支配株主に帰属する当期純利益・非支配株主に帰属する当期純損失については、利益に対するプラス・マイナスの関係を誤らないように注意しましょう。

2 収益の認識基準

Point

- 収益認識は、①契約の識別、②取引価格の算定、③履行義務の識別、④取引価格の配分、⑤履行義務の充足の5つのステップで行われる。
- 長期の工事請負で契約は、進捗度に基づいて収益を認識するが、かかった原価を収益とする原価回収基準も認められる。

1. 収益認識の5つのステップを理解しよう

　収益は、商品などを顧客に販売し、交換に受け取る対価の額で認識されます。2021年4月から開始する事業年度より、上場会社などに適用された「収益認識に関する会計基準」では、①契約の識別、②履行義務の識別、③取引価格の算定、④取引価格の配分、⑤履行義務の充足の5つのステップで収益を認識することになりました。

　以下、収益認識の5つのステップを、会計ソフトの販売・サポートの例を用いて説明します（説明を簡単にするために、例を簡略化しています）。

- **ステップ1**……A社に存在するさまざまな契約書の中から、会計ソフト一式310,000円の契約書を確認した。
- **ステップ2**……契約書の詳細を確認すると、A社の履行すべき義務として、「当年度における会計ソフト納入」と「当年度を含む5年間の保守契約」が記載されていた。
- **ステップ3**……会計ソフトについて売上割戻10,000円の特約が付いていた。
- **ステップ4**……契約書の内訳書には、会計ソフトは110,000円、保守契約は200,000円と記載されていた。
- **ステップ5**……会計ソフトは当年度の納入が履行義務となっているため、納入時に売上100,000円（売上割戻後）を認識した。5年間の保守契約は一定の期間での履行義務となっているため、当年度は40,000円の収益を認識した。

したがって、当年度に収益を認識するのは、当年度に履行義務が充足された部分だといえます。

2．長期間を要する請負契約の収益認識を理解しよう

契約から完成引渡しまでに長期間を要する工事請負契約では、完成引渡しの段階で収益を計上すると、それまでの期間は活動の実態が経営成績として損益計算書に記載されないことになります。

そこで、工事請負契約やソフトウエアの請負契約などでは、毎期、工事の進捗率を見積り、合理的に計算された進捗率に応じて収益を認識することとされています。

なお、進捗率が合理的に見積もることができない場合には、「かかった原価くらいは回収できるだろう」として売上計上します。これを**原価回収基準**といいます。

第1章
第2章
第3章
第4章
第5章
第6章
第7章
第8章

3 売上原価と販売費及び一般管理費

Point

- 当期製品製造原価は、当期に完成品を製造するのに要した原価である。
- 当期総製造費用は、通常、材料費、労務費、経費の3つに区分される。
- 当期総製造費用に期首仕掛品棚卸高・期末仕掛品棚卸高を加算・減算することで、当期製品製造原価が求められる。

1．売上原価の計算方法について理解しよう

売上原価は、次のように計算されます。

a. 商業の場合

売上原価＝期首商品棚卸高＋当期商品仕入高－期末商品棚卸高

b. 製造業の場合

売上原価＝期首製品棚卸高＋当期製品製造原価－期末製品棚卸高

2．当期製品製造原価の計算方法について理解しよう

当期製品製造原価は、**当期に製品（完成品）を製造するために要した費用**です。これに対して、仕掛品の製造を含め、当期の製造活動に要した費用の総額を当期総製造費用といいます。当期製品製造原価は、当期総製造費用に期首や期末の**仕掛品**を加算・減算することにより計算されます（**図表 4-2**）。

図表 4-2　当期製品製造原価の計算

74

３．製造原価と販売費及び一般管理費の区分を理解しよう

　企業の活動によりかかった費用は、その活動内容により、製造原価と販売費及び一般管理費に区分されます。

　工場など**製造現場での活動**に必要となったものは、製造原価として計上されます。**販売部門**や本社など**管理部門での活動**に必要となったものは、販売費及び一般管理費として計上されます。

４．製造原価明細書について理解しよう

　製造原価明細書は、**製造原価の内訳**を示したものです。

　当期総製造費用を、材料費、労務費、経費の３つの区分に分けて表示しているのが一般的です。さらに、期首仕掛品・期末仕掛品の金額を加算・減算することで、**当期製品製造原価**を計算しています。

図表 4-3　製造原価明細書の構成

区分	金額（百万円）	
Ⅰ　材料費	9,000	
Ⅱ　労務費	13,000	
Ⅲ　経費		当期総製造費用の内訳を表示
1 外注加工費	2,500	
2 減価償却費	2,200	
3 電力料	1,800	
4 その他	1,500	
経費計	8,000	
当期総製造費用	30,000	当期製品製造原価を計算
期首仕掛品棚卸高	2,000	
合計	32,000	
期末仕掛品棚卸高	3,000	
当期製品製造原価	29,000	

第1章
第2章
第3章
第4章
第5章
第6章
第7章
第8章

4 営業外損益と特別損益

Point

- 連結損益計算書は、個別損益計算書の合算により作成されるため、営業外損益、特別損益の主な項目は同じである。
- 連結損益計算書に固有の項目としては、持分法による投資利益（持分法による投資損失）がある。

1．営業外損益の主な内容を理解しよう

　連結損益計算書は、親会社と連結子会社の損益計算書を合算して作成します。このため、営業外収益・営業外費用の主な項目は個別の損益計算書と同じです。

①営業外収益の種類

　受取利息、有価証券利息、有価証券売却益、有価証券評価益、受取配当金、雑収入などです。

　そのほか、**図表 4-4** のようなものがあります。

図表 4-4　営業外収益の例

項目	内容
持分法による投資利益	持分法の適用により行った、持分法適用会社に対する投資の修正額（評価益）（P.33 参照）
為替差益	保有する外貨建て資産・外貨建て負債について、為替相場が変動することなどによって生じる利益
仕入割引	仕入債務を期限前に支払う場合に、利息相当として受ける割引額
投資不動産賃貸料	土地や建物を貸して受け取る賃貸料

②営業外費用の種類

支払利息、社債利息、有価証券売却損、有価証券評価損、手形売却損、雑支出などです。

そのほか、**図表4-5**のようなものがあります。

図表4-5　営業外費用の例

項目	内容
持分法による投資損失	持分法の適用により行った、持分法適用会社に対する投資の修正額（評価損）（P.33参照）
為替差損	保有する外貨建て資産・負債について、為替相場が変動することなどによって生じる損失
売上割引	売上債権を期限前に回収する場合に、利息相当として支払う割引額
コマーシャル・ペーパー利息	コマーシャル・ペーパー（P.58参照）の発行にともない支払う利息
社債発行費償却	社債発行費（P.57参照）の償却額

2．特別損益の主な内容を理解しよう

連結損益計算書では、特別利益・特別損失についても、主な項目は個別の損益計算書と同じです。

特別利益には、固定資産売却益、投資有価証券売却益のほか、連結損益計算書に特有の項目として**負ののれん発生益**（P.34参照）などがあります。

特別損失には、前期損益修正損、固定資産売却損、投資有価証券売却損、投資有価証券評価損、災害損失、減損損失（固定資産を減損処理したさいの帳簿価額の切下げ額）、固定資産除却損（固定資産を除却・廃棄等により処分したさいの損失）などがあります。

理解度チェック

　次の記述のうち、適切と思われるものは○に、不適切と思われるものは×に、それぞれ丸を付けなさい。

1．収益認識は、①契約の識別、②取引価格の算定、③履行義務の識別、④取引価格の配分、⑤履行義務の充足の5つのステップで行われる。　　　　　　　　　　　　　　　　　　　　　　　（O　　×）

2．製造業を営む会社の売上原価は、期首製品棚卸高に当期総製造費用を加え、期末製品棚卸高を控除して算出される。　　　（O　　×）

3．製造業を営む会社の当期製品製造原価は、期首仕掛品棚卸高に当期総製造費用を加え、期末仕掛品棚卸高を控除して算出される。　　　　　　　　　　　　　　　　　　　　　　　　（O　　×）

4．製造原価明細書の最終行は当期総製造費用である。　　（O　　×）

5．製造原価明細書には、材料費、労務費、管理費が示されている。　　　　　　　　　　　　　　　　　　　　　　　　　　（O　　×）

6．持分法による投資損失は、損益計算書の特別損失の区分に表示される項目である。　　　　　　　　　　　　　　　（O　　×）

7．非支配株主に帰属する当期純損失は、損益計算書の営業外費用の区分に表示される項目である。　　　　　　　　　　（O　　×）

8．連結損益計算書における当期純利益は、税金等調整前当期純利益から、法人税、住民税及び事業税を控除し、法人税等調整額を加減し、さらに、非支配株主に帰属する当期純利益を差し引いて求められる。　　　　　　　　　　　　　　　　　　　　　　（O　　×）

9．非支配株主に帰属する当期純利益とは、子会社の当期純利益のうち親会社以外の非支配株主の持分に帰属する金額であり、連結損益計算書の税金等調整前当期純利益に加算される。　（O　　×）

10．連結損益計算書は、非支配株主に帰属する損益も表示している。　　　　　　　　　　　　　　　　　　　　　　　　　（O　　×）

解答・解説

番号	解答	解　　説
1	×	収益認識は、①契約の識別、②<u>履行義務の識別</u>、③<u>取引価格の算定</u>、④取引価格の配分、⑤履行義務の充足の５つのステップで行われます。
2	×	売上原価は、期首製品棚卸高＋<u>当期製品製造原価</u>－期末製品棚卸高で求めます。
3	○	当期製造のために投入したコスト（当期総製造費用）のうち、期首・期末の仕掛品の増減を調整することで、当期完成品の製造のために要したコスト（当期製品製造原価）が得られます。
4	×	製造原価明細書の最終行は、<u>当期製品製造原価</u>です。
5	×	製造原価明細書には、当期総製造費用の内訳が示されます。材料費、労務費、<u>経費</u>に区分して表示されることが一般的です。
6	×	持分法による投資損失は、損益計算書の<u>営業外費用</u>の区分に表示されます。
7	×	非支配株主に帰属する当期純損失は、損益計算書の<u>当期純利益</u>の<u>直後</u>に表示されます。持分法による投資損失と混同しないよう注意しましょう。
8	×	<u>当期純利益</u>から非支配株主に帰属する当期純利益を加減して、<u>親会社株主に帰属する当期純利益</u>を算出します。
9	×	非支配株主に帰属する当期純利益は、当期純利益から<u>減算する</u>項目です。利益への加算・減算の関係に注意しましょう。
10	○	連結損益計算書は、連結会社の損益計算書の単純合算を基礎として作成されます。したがって、連結損益計算書でも、非支配株主に帰属する当期純損益を調整するまでのところでは、非支配株主に帰属する金額を含めて表示されています。

第1章
第2章
第3章
第4章
第5章
第6章
第7章
第8章
第9章
第10章

第 5 章

連結包括利益計算書の理解

1 包括利益の構成

> **Point**
>
> - 連結包括利益計算書は、親会社株主・非支配株主等との資本取引を除く期中の純資産の変動について報告する計算書である。
> - 包括利益は、当期純利益とその他の包括利益から構成される。親会社株主に帰属するものと非支配株主に帰属するものの両方を含む。
> - その他の包括利益とは、資産・負債の価値の変動のうち損益計算書に反映されないものをいう。

1．包括利益の考え方を理解しよう

　包括利益は、期首から期末までの純資産の変動額のうち、持分所有者（親会社株主、非支配株主、新株予約権の所有者）との直接的な資本取引を除いたものです。当期純利益とその他の包括利益から構成されます。

> 連結包括利益計算書の包括利益＝当期純利益＋その他の包括利益

2．その他の包括利益の項目について理解しよう

　その他の包括利益は、資産・負債の価値の市場価格の変動などによる増減のうち、損益計算書に反映されないものをいいます。主な項目は以下のとおりです。その期間の増減が包括利益計算書に計上され、累計額が貸借対照表の純資産の部にその他の包括利益累計額として表示されます。

●**その他有価証券評価差額金**（P.63 参照）

●**繰延ヘッジ損益**（P.63 参照）

●**為替換算調整勘定**（P.63 参照）

●**退職給付に係る調整額**

　…退職年金などの退職給付費用にかかる負債について、その後の制度の変更などにより発生した未認識項目を当期に費用処理した金額をいいます。

●**持分法適用会社に対する持分相当額**

…持分法適用会社のその他の包括利益に対する親会社の持分相当
額をいいます。

3．包括利益と親会社株主持分・非支配株主持分の関係を理解しよう

図表 **5-1** のとおり、包括利益には、親会社株主に係る部分と非支
配株主に係る部分の両方が含まれています。

図表 5-1　包括利益と親会社株主持分・非支配株主持分の関係

4．その他の包括利益の組換調整について理解しよう

すでに包括利益計算書でその他の包括利益として認識されていた
ものについて、その後、損益計算書で損益が確定すると、当期純利
益に含まれることになります。この場合、過去に計上したその他の
包括利益と当期に計上する当期純利益が重複することになるため、
その金額をその他の包括利益から控除する組替調整を行います。こ
の金額を**組替調整額**といいます。

図表 5-2　組替調整の例

なお、**図表 5-2** は、説明の便宜上、評価差額への繰延税金負債の
影響は省略しています。

2 連結包括利益計算書の様式

Point

● 連結包括利益計算書の表示方法には、１計算書方式と２計算書方式
がある。

1. 1計算書方式について理解しよう

当期純利益を表示する連結損益計算書と、包括利益を表示する連
結包括利益計算書を、**連結損益及び包括利益計算書**として、１つの
計算書で表示する方式です。

図表 5-3　　１計算書方式の例

<連結損益及び包括利益計算書>

売上高	×××
税金等調整前当期純利益	×××
法人税等	×××
当期純利益	2,200
（内訳）	
親会社株主に帰属する当期純利益	2,160
非支配株主に帰属する当期純利益	40
その他の包括利益：	
その他有価証券評価差額金	220
その他の包括利益合計	220
包括利益	2,420
（内訳）	
親会社株主に係る包括利益	2,376
非支配株主に係る包括利益	44

第1章
第2章
第3章
第4章
第5章
第6章
第7章
第8章
第9章
第10章

2.2 計算書方式について理解しよう

　連結損益計算書と連結包括利益計算書を、 2 つの計算書で表示する方式です。

図表 5-4　2 計算書方式の例

＜連結損益計算書＞

売上高	×××
税金等調整前当期純利益	×××
法人税等	×××
当期純利益	2,200
非支配株主に帰属する当期純利益	40
親会社株主に帰属する当期純利益	2,160

＜連結包括利益計算書＞

当期純利益	2,200
その他の包括利益:	
その他有価証券評価差額金	220
その他の包括利益合計	220
包括利益	2,420
（内訳）	
親会社株主に係る包括利益	2,376
非支配株主に係る包括利益	44

理解度チェック

次の記述のうち、適切と思われるものは○に、不適切と思われるものは×に、それぞれ丸を付けなさい。

1. 新株予約権は、その他の包括利益に含まれる。　　　　　（○　×）

2. 持分法による投資利益は、その他の包括利益に含まれる。（○　×）

3. 繰延ヘッジ損益は、その他の包括利益に含まれる。　　　（○　×）

4. 為替換算調整勘定は、その他の包括利益に含まれる。　　（○　×）

5. 連結包括利益計算書では、当期純利益からその他の包括利益を控除して、包括利益を表示する。　　　　　　　　　　　　（○　×）

6. 包括利益の内訳には、親会社株主に係る包括利益と非支配株主に係る包括利益が表示される。　　　　　　　　　　　　　（○　×）

7. 1計算書方式の連結損益及び包括利益計算では、包括利益の内訳は表示されない。　　　　　　　　　　　　　　　　　　（○　×）

解答・解説

番号	解答	解　　説
1	×	新株予約権は、<u>純資産</u>に含まれます。
2	×	持分法による投資利益は、<u>営業外収益</u>に含まれます。
3	○	繰延ヘッジ損益は、その他の包括利益に含まれます。
4	○	為替換算調整勘定は、その他の包括利益に含まれます。
5	×	連結包括利益計算書では、当期純利益にその他の包括利益を<u>加算</u>して、包括利益を表示します。
6	○	包括利益には、親会社株主に係る部分と非支配株主に係る部分が含まれます。
7	×	1計算書方式の連結損益及び包括利益計算にも、包括利益の内訳が<u>表示されます</u>。

第6章

株主資本等変動計算書の理解

1 株主資本等変動計算書のしくみ

Point

- 株主資本等変動計算書は、株主資本等の前期末から当期末までの変動を表す。
- 株主資本の項目は変動要因ごとに内訳を示し、それ以外の項目は変動の純額のみ示す。
- 当期の株主資本等変動計算書は、前期末・当期末の貸借対照表、および、当期の損益計算書とつながっている。

1．株主資本等変動計算書の構成を理解しよう

　株主資本等変動計算書は、貸借対照表の純資産の部の各項目について、一会計期間の変動を表す計算書です。純資産の部の項目のうち、株主資本の項目については**増減要因ごとに内訳**を示し、その他の項目については、**増減の純額**を示すことになっています。

図表 6-1　連結株主資本等変動計算書の構成

	株主資本				
	資本金	資本剰余金	利益剰余金	自己株式	株主資本合計
当期首残高	✕✕	✕✕	✕✕	△✕✕	✕✕
当期変動額					
新株の発行	✕✕	✕✕			✕✕
剰余金の配当			△✕✕		△✕✕
親会社株主に帰属する当期純利益			✕✕		✕✕
～					
株主資本以外の項目の当期増減額（純額）					
当期変動額合計	✕✕	✕✕	✕✕	△✕✕	✕✕
当期末残高	✕✕	✕✕	✕✕	△✕✕	✕✕

第 1 章
第 2 章
第 3 章
第 4 章
第 5 章
第 6 章
第 7 章
第 8 章
第 9 章
第 10 章

図表 6-1 は、連結株主資本等変動計算書の構成を模式的に示したものです。Ⓐは、純資産の部の各項目の当期首残高、Ⓒは、純資産の部の各項目の当期末残高です。Ⓑ－1、Ⓑ－2の部分は、各項目の当期の変動額が示されます。

株主資本の項目の変動については、変動事由ごとに増減の明細が示されます（Ⓑ－1）。また、株主資本以外の項目の増減については、当期の変動をまとめて純額で記載します（Ⓑ－2）。

株主資本等変動計算書は、前期末・当期末の貸借対照表、当期の損益計算書とつながっています。

Ⓐの部分は、**連結貸借対照表の前期末残高と一致**します。Ⓒの部分は、**連結貸借対照表の当期末残高と一致**します。

また、親会社株主に帰属する当期純利益は、その期間の会社のもうけであり、その分だけ利益剰余金の増加をもたらします。したがって、Ⓑ－1の項目には、必ず親会社株主に帰属する当期純利益（または当期純損失）が存在し、**連結損益計算書の親会社株主に帰属する当期純利益の金額と一致**します。

その他の包括利益累計額	株式引受権	新株予約権	非支配株主持分	純資産合計
XX	XX	XX	XX	XX
			XX	
			△XX	
			XX	
△XX	XX	XX	XX	XX
△XX	XX	XX	XX	XX
XX	XX	XX	XX	XX

Ⓐ 前期末連結貸借対照表と一致

Ⓑ-1 変動事由の内訳ごとに記載

連結損益計算書の親会社株主に帰属する当期純利益と一致

Ⓑ-2 当期の増減をまとめて純額で記載

Ⓒ 当期末連結貸借対照表と一致

91

2 株主資本の変動

Point

- 株主資本の変動する要因は、新株の発行、剰余金の配当、当期純利益の発生、自己株式の取得、自己株式の処分などがある。
- 自己株式は、株主資本の控除項目であるため、株主資本等変動計算書においても△（マイナス）表示される。

1．株主資本が変動する要因を理解しよう

　株主資本は、①新株の発行、②剰余金の配当、③当期純利益の発生、④自己株式の取得、⑤自己株式の処分などにより変動します。

　株主資本等変動計算書にどう示されるのか、具体的な例で説明します（**図表 6-2**）。

　新株の発行は、資本金と資本剰余金の増加をもたらします。**図表**

図表 6-2　連結株主資本等変動計算書の例

	株主資本					その他の包括利益累計額
	資本金	資本剰余金	利益剰余金	自己株式	株主資本合計	
当期首残高	100,000	50,000	300,500	△500	450,000	22,800
当期変動額	①					
新株の発行	50,000	50,000			100,000	
剰余金の配当		② △3,200			△3,200	
親会社株主に帰属する						
当期純利益			③ 53,000		53,000	
自己株式の取得				④ △100	△100	
自己株式の処分		⑤ 100		→ 200	300	
株主資本以外の項目の当期増減額		マイナス項目の減少であるため、△印は付かない。				400
当期変動額合計	50,000	50,100	49,800	100	150,000	400
当期末残高	150,000	100,100	350,300	△400	600,000	23,200

第1章
第2章
第3章
第4章
第5章
第6章
第7章
第8章
第9章
第10章

6-2 ①では、「新株の発行」の行を横に見ると、資本金と資本剰余金がそれぞれ 50,000 百万円ずつ増加する記載となっていることがわかります。

剰余金（資本剰余金、利益剰余金）の配当は、それぞれの剰余金の減少をもたらします。②では、利益剰余金の配当が行われて、3,200百万円の減少（△印）が記載されています。

当期純利益の発生は、利益剰余金の増加をもたらします。③では、この期の親会社株主に帰属する当期純利益が 53,000 百万円であったとして、同額の利益剰余金の増加が記載されています。

自己株式の取得は、株主資本の払戻しを意味します。したがって、貸借対照表での残高の記載と同様、株主資本等変動計算書にも、自己株式の前期末残高および当期末残高については、マイナス残高（△印）で記載されます。④では、この期に新たに 100 百万円の自己株式の取得があったとして、自己株式の増加（株主資本の減少）が示されています。

自己株式の処分（売却など）は、株主資本の増加をもたらします。処分した分だけ自己株式が減少するとともに、処分による差益（または差損）が、資本剰余金に反映されます。⑤では、自己株式 200 百万円（取得原価）を 300 百万円で処分し、自己株式処分差益 100 百万円が発生した場合の記載を示しています。「自己株式の処分」の行を横に見ると、自己株式が 200 百万円減少し、自己株式処分差益 100 百万円は資本剰余金の増加となり、株主資本全体としては 300 百万円増加したことがわかります。

（単位:百万円）

株式引受権	新株予約権	非支配株主持分	純資産合計
500	200	27,000	500,500
			100,000
			△3,200
			53,000
			△100
			300
	100	500	1,000
	100	500	151,000
500	300	27,500	651,500

3 株主資本等変動計算書の活用

Point

- 個別株主資本等変動計算書では、株主資本の計数の変動（内訳項目の振替え）や自己株式の変動に注目する。
- 連結株主資本等変動計算書では、総還元性向に注目すると、株主還元の度合いを把握できる。

1．個別株主資本等変動計算書の活用について理解しよう

①株主資本の計数の変動

　株主資本のうち、資本金、準備金（資本準備金、利益準備金）、剰余金（資本剰余金、利益剰余金）については、会社の資産・負債の変動をともなわずに、株主総会決議の手続きにより内容構成の振替えが行われる場合があります、この振替えを、**株主資本の計数の変動**といいます。

　株主への配当は剰余金から行われます。したがって、資本金や準備金から剰余金への振替えは、株主にとって配当財源が厚くなることを意味します。一方、債権者にとっては、配当によって会社財産が流出することなく、資本金や準備金に見合う財産が会社に維持されることが望ましいといえます。こうした株主と債権者の間の利害を調整するため、会社法では株主資本の計数の変動について、一定の手続きを定めています。

　個別財務諸表の株主資本等変動計算書によって、どのような計数の変動がなされているのかを知ることができます。

②自己株式の変動

　自己株式の変動は、当期純利益・当期純損失、剰余金の配当とともに株主資本変動の要因となります。自己株式の取得（自社株買い）は、市場に流通する株式数の減少をもたらすため、株価収益率（P.161参照）や株価純資産倍率（P.162参照）などの1株当たり指標を実

質的に上昇させ、株価の改善につなげる効果を持っています。取得した自己株式は、役員や社員のインセンティブに活用したり、M＆Aのさいの買収対価として使われたりすることもあります。また、買収防衛のために自社株買いを行うこともあります。

　自己株式の変動の内容によって、その企業の資本政策をみることができます。

2．連結株主資本等変動計算書の活用について理解しよう

　連結当期純利益に対する配当金と自社株式取得の合計額の割合を、**総還元性向**または**総配分性向**といいます。動向から、株主還元の充実や株価上昇を通じた買収防衛など企業の施策を推測することができます。

第1章
第2章
第3章
第4章
第5章
第6章
第7章
第8章
第9章
第10章

理解度チェック

次の記述のうち、適切と思われるものは○に、不適切と思われるものは×に、それぞれ丸を付けなさい。

1. 株主資本等変動計算書は、貸借対照表の純資産の部の一会計期間における変動額を表示する計算書である。　　　　　　　（O　×）

2. 株主資本等変動計算書は、前期の損益計算書と当期の損益計算書をつなぐ役割を果たす。　　　　　　　　　　　　　　　（O　×）

3. 株主資本等変動計算書に表示される「資本金」の期末残高は、貸借対照表に表示される「資本金」の金額と一致する。　　　（O　×）

4. 株主資本等変動計算書では、親会社株主に帰属する当期純利益は利益剰余金に加算される。　　　　　　　　　　　　　　（O　×）

5. 株主資本等変動計算書は、株主資本に属する項目については変動事由ごとに金額を表示するが、それ以外の項目については変動額を純額で表示する。　　　　　　　　　　　　　　　　　　（O　×）

6. 繰延ヘッジ損益と非支配株主持分は、株主資本等変動計算書において、株主資本の変動に該当しない。　　　　　　　　　（O　×）

7. 自己株式の取得は、株主資本等変動計算書において、株主資本の変動に該当する。　　　　　　　　　　　　　　　　　　（O　×）

8. 新株の発行は、株主資本等変動計算書において、株主資本の変動に該当する。　　　　　　　　　　　　　　　　　　　　（O　×）

9. 新株予約権の発行は、株主資本等変動計算書において、株主資本の変動に該当する。　　　　　　　　　　　　　　　　　（O　×）

10. 剰余金の配当は、株主資本等変動計算書において、株主資本の変動に該当する。　　　　　　　　　　　　　　　　　　　（O　×）

解答・解説

番号	解答	解　　説
1	O	定義どおりです。株主資本等変動計算書は、一会計期間の変動額を表示します。
2	×	株主資本等変動計算書は、当期の損益計算書とつながりますが、前期の損益計算書とはつながりません。
3	O	株主資本等変動計算書の前期末残高・当期末残高は、それぞれ前期末・当期末の貸借対照表の純資産の部の各項目の残高と一致します。
4	O	当期純利益は、利益剰余金を増加させる要因です。株主資本等変動計算書では、利益剰余金の増加項目の1つとして、親会社株主に帰属する当期純利益が記載されます。この金額は、当期の損益計算書の親会社株主に帰属する当期純利益と一致します。
5	O	株主資本の項目と、それ以外の項目とで記載の仕方が異なるため、株主資本等変動計算書という名称になっていると理解しておくとよいでしょう。
6	O	株主資本等変動計算書の理解というよりは、貸借対照表の「純資産の部」の区分の理解を問う問題です。繰延ヘッジ損益は、その他の包括利益累計額の内訳項目の1つです。非支配株主持分は、それ自体が独立した1項目となっています。
7	O	自己株式は、株主資本の控除項目です。貸借対照表での残高の記載の場合と同様に、△を付けて金額を記載します。増減についても△を付けて記載されます。
8	O	新株の発行は、通常、資本金および資本準備金（資本剰余金）の増加をもたらします。
9	×	新株予約権は、株主資本とは独立した項目であり、新株予約権の発行そのものは、株主資本の変動には該当しません。
10	O	剰余金の配当は、剰余金（資本剰余金または利益剰余金）の減少を意味します。よって、株主資本の変動に該当します。

第7章

キャッシュ・フロー計算書の理解

1 キャッシュ・フローとは

> **Point**
>
> ● キャッシュ・フロー計算書におけるキャッシュの範囲は現金及び現金同等物とされ、貸借対照表の現金預金とは必ずしも一致しない。
> ● 現金同等物は、容易に換金可能で、価値の変動が小さい短期投資をいう。定期預金は満期３か月以内で判断する。上場株式は該当しない。
> ● 当座借越は、負の現金同等物としてキャッシュの範囲に含まれる。

1．キャッシュ・フロー計算書の役割を理解しよう

　キャッシュ・フロー計算書は、一会計期間のキャッシュ・フローの状況を示す計算書です。

　一定期間のフローを示す計算書としては、ほかに損益計算書があります。損益計算書は、その期間の収益と費用を対比して示すことで、企業の経営成績を表しています。

　収益・費用のフローとは別に、キャッシュ・フローの状況を示すことには、次の２つの点で意味があります。

（１）収益・費用のフローとキャッシュ・フローでは、タイミングが異なる

　収益・費用は、**実現主義や発生主義によって認識**されます。このため、収益・費用の収支とキャッシュの収支は、認識時点が一致しません。収益・費用の収支がプラスとなっていても、キャッシュの収支は大幅なマイナスとなっている可能性があります。

（２）キャッシュ・フローは、客観的事実を示す

　減価償却の方法として定額法と定率法があるように、会計処理方法のなかには、**企業によって採用する方法が異なる**ものもあります。この結果、仮に活動状況が同じであっても、採用する会計処理によって、示される損益は相違する場合があります。

　これに対して、キャッシュ・フローは、会計処理の方法に左右されずに客観的事実を表現することができます。

2. 現金及び現金同等物の範囲を理解しよう

キャッシュ・フロー計算書が示すキャッシュの範囲は、**現金及び現金同等物**とされています。このため、キャッシュ・フロー計算書のキャッシュの範囲と、貸借対照表の現金預金は、**必ずしも一致しません**。

図表 7-1　現金及び現金同等物

キャッシュの範囲

現金

手元現金

要求払預金　（※1）

・当座預金
・普通預金
・通知預金

現金同等物　（※2）

・預入期間が3か月以内の定期預金
・当座借越（負の現金同等物）（※3）

現金同等物は、次の2つの要件を満たす必要がある。
　①容易に換金が可能
　②価値の変動のリスクが小さい

キャッシュに含まれないものの例

・**預入期間1年の定期預金**
　←短期投資とはいえない。

・**市場性のある株式**
　←価値の変動にリスクがある。

（※1）事前の通知なしで、または、数日前の通知で引出し可能な期限の定めのない預金をいう。

（※2）容易に換金可能で、かつ、価値の変動についてリスクが小さい短期投資をいう。

（※3）貸借対照表では借入金であるが、当座預金の資金決済を補うものであるため、マイナスの現金同等物と考える。

🖉 検定対策

▶ 現金同等物の定義にある「短期」投資の判定については、絶対的な基準はありません。

▶ 実務では、預入れから満期までの期間が3か月以内の定期預金については、現金同等物とするのが一般的になっています。

▶ 検定試験2級の出題についても、特に指示がないかぎり、3か月を基準に判断してよいでしょう。

2 キャッシュ・フロー計算書の構成

- ●キャッシュ・フロー計算書では、キャッシュ・フローを営業活動・投資活動・財務活動の 3 つの区分に分類して表示する。
- ●3 つの活動によるキャッシュ・フローと、現金及び現金同等物に係る換算差額から、現金及び現金同等物の当期増減額が示される。

1．キャッシュ・フロー計算書の構成を理解しよう

①キャッシュ・フローの区分

　キャッシュ・フロー計算書では、企業の活動を、**営業活動、投資活動、財務活動**の 3 つに区分しています。そして、それぞれの活動についての資金の収支（キャッシュ・フロー）を表示します。

　それぞれの区分の内容は、**図表 7-2** のとおりです。

図表 7-2　キャッシュ・フローの 3 つの区分

分類	内容
営業活動による キャッシュ・フロー	企業の本業によるキャッシュ・フロー （さらに、この区分には、投資活動によるキャッシュ・フロー、財務活動によるキャッシュ・フローのいずれにも含まれないものも示される。）
投資活動による キャッシュ・フロー	設備投資や、証券投資、貸付けなど、資金の運用・回収などに関するキャッシュ・フロー
財務活動による キャッシュ・フロー	借入れや新株の発行など、資金調達・返済などに関するキャッシュ・フロー

②キャッシュ・フロー計算書の構成

　次ページの**図表 7-3** は、キャッシュ・フロー計算書の構成を示したものです。

図表 7-3　キャッシュ・フロー計算書の構成

Ⅰ〜Ⅲの各区分では、**営業・投資・財務の各活動によるキャッシュ・フロー**が内訳ごとに示されます。

Ⅳの**現金及び現金同等物に係る換算差額**は、現金や現金同等物について、為替相場の変動などにより生じた換算差額です。

Ⅰ〜Ⅳを合計して、Ⅴの**現金及び現金同等物の増加額**が示されます。これにⅥの**現金及び現金同等物の期首残高**を加えて、最終的にⅦの**現金及び現金同等物の期末残高**を表します。

3 キャッシュ・フロー計算書の表示のルール

Point

- 営業活動キャッシュ・フローの表示方法には、直接法と間接法がある。いずれの方法によっても、算出される営業活動キャッシュ・フローの金額は同じである。
- 投資活動・財務活動キャッシュ・フローの表示については、原則として、収入・支出の項目を相殺せず総額で表示する。例外として、一定の場合には純額での表示が認められる。

1．営業活動によるキャッシュ・フローの表示方法

　営業活動によるキャッシュ・フローの表示方法には、**直接法**と**間接法**があり、どちらかを継続して適用することが認められています。

　直接法とは、営業活動による収入・支出の項目を相殺せずに総額で表示する方法です。営業収入、商品の仕入による支出、人件費の支出といったように、1つひとつの収入・支出の項目を表示し、これらを差し引きして、営業活動によるキャッシュ・フローが表示されます。

　これに対して、間接法は、営業活動による収入・支出の項目を、1つひとつ示すことはしません。税金等調整前当期純利益（個別キャッシュ・フロー計算書の場合は、税引前当期純利益）に対して、一定の調整計算を行って、営業活動によるキャッシュ・フローを導きます。

　間接法は、実務の便宜から認められている方法であり、実務では間接法が圧倒的に多く採用されています。

　なお、直接法・間接法、いずれの方法によっても、最終的に導かれる営業活動によるキャッシュ・フローの金額は同じです（次ページ**図表7-4**）。

２．投資活動・財務活動によるキャッシュ・フローの表示方法

投資活動・財務活動の各キャッシュ・フローの区分については、収入・支出の主要な取引項目ごとに、**内訳項目を相殺せず**に総額で表示することになっています。

たとえば、投資有価証券の購入と売却が同じ期にあった場合には、相殺せずに支出と収入を総額で表示しなければなりません。

ただし、**総額表示の例外**として、**期間が短く、かつ、回転の速い項目**については、純額で表示することが認められています。

たとえば、期間の短い借入れと返済が繰り返し行われている場合には、「短期借入金の純増加額」として、財務活動によるキャッシュ・フローの区分に純額で表示されることがあります。

図表 7-4　営業活動キャッシュ・フローの表示方法（直接法と間接法）

直接法による表示

```
Ⅰ 営業活動によるキャッシュ・フロー
  1. 営業収入              ×××
  2. 商品の仕入れによる支出   △×××
  3. 人件費の支出          △×××
       〜
     合計               ×××

Ⅱ 投資活動によるキャッシュ・フロー
       〜
```

収入・支出の項目の差し引きにより、営業キャッシュ・フローを示す。

間接法による表示

```
Ⅰ 営業活動によるキャッシュ・フロー
  1. 税金等調整前当期純利益   ×××
  2. 減価償却費            ×××
  3. 棚卸資産の増加額       △×××
       〜
     合計               ×××

Ⅱ 投資活動によるキャッシュ・フロー
       〜
```

税金等調整前当期純利益からの逆算により、営業キャッシュ・フローを示す。

※どちらの方法によっても、営業キャッシュ・フローの金額は同じ。

4 営業活動によるキャッシュ・フロー

Point

- 間接法では、税金等調整前当期純利益に、①非資金損益、②営業活動に関連しない損益、③営業活動にかかる資産および負債の増減額を加算・減算して、小計の金額を算出する。
- 小計欄は、純粋な営業活動によるキャッシュ・フローとそれ以外のものを区分するために設けられている。小計欄より下には、投資活動にも財務活動にも該当しないキャッシュ・フローを記載する。
- 小計欄より下の部分は、直接法、間接法にかかわらず同じ計算構造となる。

1．間接法による表示の計算構造を理解しよう

図表 7-5 は、間接法で表示した営業活動によるキャッシュ・フローの計算構造を示しています。

図表 7-5　間接法表示の営業活動によるキャッシュ・フローの計算構造

税金等調整前当期純利益(※)		30,000

逆算のための調整項目	非資金損益　　　　　　　　　　　　　　　　2,000 （例）減価償却費、のれん償却額、引当金の増加
	営業活動に関連しない損益　　　　　　　　　1,000 （例）投資有価証券売却損益、支払利息、受取利息
	営業活動にかかる資産および負債の増減額　　△4,000 （例）売上債権の増減、棚卸資産の増減、仕入債務の増減

小計	29,000

投資活動および財務活動以外の活動によるキャッシュ・フロー　　△5,000 （例）法人税等の支払い、損害賠償金の支払い	

営業活動によるキャッシュ・フロー	24,000

（※）個別キャッシュ・フロー計算書では、税引前当期純利益。

図表7-5のとおり、間接法では、税金等調整前当期純利益に、①非資金損益、②営業活動に関連しない損益、③営業活動にかかる資産および負債の増減額を加算・減算して、小計の金額を算出します。小計より下の部分は、投資活動にも財務活動にも該当しないキャッシュ・フローを記載する箇所です。これらを差し引きして、営業活動によるキャッシュ・フローを表示します。

２．投資・財務以外の活動による収支の取扱いを理解しよう

　キャッシュ・フロー項目のなかには、営業活動・投資活動・財務活動のいずれにも該当しないものや、いずれに該当するかはっきりしないものもあります。たとえば、法人税等の支払額、損害賠償金の支払額、災害による保険収入などです。

　キャッシュ・フロー計算書では、そうしたものについても営業活動によるキャッシュ・フローに含めることにしています。ただし、純粋な営業活動によるキャッシュ・フローと区別して把握できるようにするため、営業活動によるキャッシュ・フローの区分のなかには「小計」の欄を設けています。いずれの区分にも該当しないこれらのキャッシュ・フローについては、小計欄より下に記載することになっています。

　なお、小計欄より下の項目は、営業活動によるキャッシュ・フローの表示を直接法・間接法いずれの方法によった場合にも、同じように表示されます。

✏️検定対策

- ▶ 検定試験2級では、税金等調整前当期純利益に対する調整には、どのような項目があるかについて具体的に問う問題などが考えられます。

- ▶ また、どのように加算・減算の調整がされるかなど、項目名・金額を空欄に補充させる形式での出題も考えられます。

5 間接法表示による調整内容 ①

Point

- 非資金費用は、税金等調整前当期純利益に加算する調整が行われる。
- 資産の売却収入等は、別途、投資活動キャッシュ・フローに表示されるため、損益計算書に計上されている売却損は加算される。
- 受取利息や支払利息については、実際の収入・支出が別途表示されるため、損益計算での計上額が調整される。

1. 非資金損益の調整について理解しよう

　非資金損益とは、減価償却費、のれん償却費、減損損失や引当金の増減額など、**資金の収支をともなわない収益・費用**をいいます。

　非資金費用がある場合には、非資金費用を税金等調整前当期純利益に加算することで、資金の収支を導くことができます。非資金利益については、逆に、減算する調整を行います。

図表 7-6　非資金損益の調整

損益計算書(簡易版)

2. 営業活動に関連しない損益の調整を理解しよう

①営業活動に関連しない資産の売却損益等の調整

　投資有価証券や有形固定資産の売却損益が計上されている場合にも、調整が行われます。

　たとえば、当期に投資有価証券の売却があり、損益計算書に投資有価証券売却損が計上されている場合を考えます（**図表 7-7**）。

　有価証券の売却による収入（400）は、別途、投資活動によるキャッ

シュ・フローの区分に総額で表示されます。売却損（200）が計上されている分だけ、税金等調整前当期純利益はキャッシュの収支より少なくなっています。そこで、税金等調整前当期純利益（100）に売却損（200）を加算する調整を行うことにより、営業活動によるキャッシュ・フロー（300）を導きます。

なお、売却益の場合は、逆に、減算する調整を行います。

図表 7-7　売却損益等の調整

②利息の調整

受取利息や支払利息についても、調整が必要です。

支払利息を例にして考えます。損益計算書の支払利息は、支出の有無とは別に、期間の経過に応じて計上されています。そこで、間接法では、損益計算書の支払利息の金額を、税金等調整前当期純利益に加算します。実際の利払額については、別途、利息の支払額としてキャッシュ・フロー計算書に表示します。

図表 7-8　支払利息の調整

第1章
第2章
第3章
第4章
第5章
第6章
第7章
第8章
第9章
第10章

6 間接法表示による調整内容 ②

Point

- 営業活動にかかる資産・負債の増減は、その純額を税金等調整前当期純利益に調整することで営業キャッシュ・フローが導かれる。
- 資産の増加は、資金を減少させる。負債の増加は、資金を増加させる。

1．営業活動にかかる資産・負債の増減額の調整を理解しよう

①資産・負債の増減とキャッシュ・フロー

　資産・負債の増減には、資金の出入りをともないます。投資活動や財務活動にかかる資産・負債の増減は、投資活動によるキャッシュ・フローや財務活動によるキャッシュ・フローの区分で、収入と支出が総額で表示されているので、キャッシュ・フローに反映されています。

　営業活動にかかる資産・負債の増減については、収入と支出を両建てでは表示せず、それぞれの増減の**純額**を税金等調整前当期純利益に加算・減算することで、営業活動によるキャッシュ・フローに反映させます。

②資産・負債の増減の調整の例

　次ページの**図表 7-9** は、売掛金が増加した場合の例です。売上は 1,000 でしたが、売掛金は期首に比べて 200 増加したとします。この場合、当期の売上入金は 1,000 − 200 = 800 です。未回収分（売掛金）が増えた分（200）だけ、実際の回収（800）は売上（1,000）よりも少なくなっています。営業活動によるキャッシュ・フローを求めるためには、売掛金の増加額を税金等調整前当期純利益から減算する調整が必要であることがわかります。

図表 7-9　営業活動にかかる資産および負債の増減の調整

（※）ほかに損益項目はないと仮定

損益計算書（簡易版）

収益 →	売上	1,000 ←	
費用 →	仕入	700	
	税金等調整前当期純利益	300	

うち200の回収が未了
＝売掛金の増加

⊖売掛金の増加　200

→ 営業キャッシュ・フロー 100

③資産・負債の増減と資金の増減の関係

　主な資産・負債の増減と資金の増減の関係は、**図表 7-10** のとおりです。

図表 7-10　資産・負債の増減と資金の増減の関係

（増加）	（イメージ）	（資金への影響）
売上債権の増加	→ 未回収分の発生	→ 資金の減少
棚卸資産の増加	→ 在庫の増加	→ 資金の減少
仕入債務の増加	→ 支払いの保留	→ 資金の増加
（減少）	（イメージ）	（資金への影響）
売上債権の減少	→ 回収の促進	→ 資金の増加
棚卸資産の減少	→ 販売の促進	→ 資金の増加
仕入債務の減少	→ 支払いの実行	→ 資金の減少

◎資産・負債の増減……資金の増減との関係

　負債は資金の調達源泉を表し、資産は資金の運用形態を表します。
　　資産の増加 ＝ 運用の増加 ＝ 資金の減少
　　負債の増加 ＝ 調達の増加 ＝ 資金の増加
　と考えると、イメージしやすいでしょう。

第1章
第2章
第3章
第4章
第5章
第6章
第7章
第8章
第9章
第10章

7 投資活動によるキャッシュ・フロー、財務活動によるキャッシュ・フロー

Point

- 投資活動キャッシュ・フローは、主に資金の運用（設備投資、証券投資、貸付け）と、回収に関する資金の収支が区分して表示される。
- 財務活動キャッシュ・フローは、主に資金の調達（借入れ、株式・社債の発行）と、返済に関する資金の収支が区分して表示される。
- 利息（受取り・支払い）、配当（受取り）の表示には、2 つの方法がある。

1．投資活動によるキャッシュ・フローの内容を理解しよう

　投資活動によるキャッシュ・フローの区分に含まれる主な項目は、次のとおりです。項目を相殺せず、総額で表示します。

（1）設備投資に関するもの

　・有形固定資産の取得による支出

　・有形固定資産の売却による収入

（2）証券投資に関するもの

　・有価証券の取得による支出　・投資有価証券の取得による支出

　・有価証券の売却による収入　・投資有価証券の売却による収入

（3）貸付けに関するもの

　　・貸付けによる支出　　　　　・貸付金の回収による収入

2．財務活動によるキャッシュ・フローの内容を理解しよう

　財務活動によるキャッシュ・フローの区分に含まれる主な項目は、次のとおりです。借入れや株式・社債の発行による資金の調達、借入れや社債の返済（償還）にかかるものが記載されます。

（1）借入れに関するもの

　・短期借入れによる収入　　　・短期借入金の返済による支出

　・長期借入れによる収入　　　・長期借入金の返済による支出

（2）株式に関するもの

・株式の発行による収入

・自己株式の取得による支出　・自己株式の売却による収入

・子会社株式の取得による支出(※)・子会社株式の売却による収入(※)

（※）連結範囲の変更をともなわないものに限る。

・配当金の支払額　　　　　・非支配株主への配当金の支払額

（3）社債に関するもの

・社債の発行による収入　　・社債の償還による支出

3．利息・配当に関する収入・支出の表示方法を理解しよう

利息・配当に関する収入と支出については、**図表 7-11** のように、2つの方法が認められています。

図表 7-11　利息と配当の表示方法

	収入	支出
利息	A	C
配当	B	財務活動による キャッシュ・フロー として表示

> どのキャッシュ・フロー区分に表示するかについて、2つの方法がある。

第1法	A〜Cすべてを営業活動によるキャッシュ・フローの小計欄の下に表示
第2法	利息と配当の収入（A，B）は投資活動によるキャッシュ・フロー、利息の支払い（C）は財務活動によるキャッシュ・フローとして記載

◎利息の表示 ・・・ 損益計算書ベースの「支払利息」「受取利息」と　　　　キャッシュベースの「利息の支払額」「利息の受取額」

損益計算書に計上されている支払利息や受取利息の金額は、税金等調整前当期純利益からキャッシュの収支を導くために調整されます。このため、図表 7-11 の第1法・第2法いずれかにかかわらず、営業活動によるキャッシュ・フローの区分においては「支払利息」「受取利息」という表示項目で、小計欄より上の部分に表示されます。

これに対して、キャッシュベースの実際の利息の支払額や受取額は、第1法・第2法それぞれに従った区分において、「利息の支払額」「利息の受取額」という表示項目で表示されます。

8 キャッシュ・フロー計算書の見方

Point

- 営業活動キャッシュ・フローは、過去の投資の成果の実現度を示す。
- 投資活動キャッシュ・フローは、将来へ向けた投資の内容を示す。
- 財務活動キャッシュ・フローは、資金の調達・返済を示す。
- 3つのキャッシュ・フローの循環に着目することで、企業活動全体の資金の動きが理解できる。

1．3つの区分のキャッシュ・フローが示す意味を知ろう

　営業・投資・財務の各活動によるキャッシュ・フローは、それぞれどのような意味をもっているか、以下に見てみましょう。

①営業活動によるキャッシュ・フロー

　営業活動によるキャッシュ・フローは、本業によるキャッシュ・フローです。したがって、**企業のこれまでの投資がどれだけ成果として実ったか**を示しているといえます。

②投資活動によるキャッシュ・フロー

　投資活動によるキャッシュ・フローは、将来、より多くの利益や資金を得るために、企業が**何にどれだけ資金を投入しているか**をみることができます。

③財務活動によるキャッシュ・フロー

　財務活動によるキャッシュ・フローは、資金の調達と返済の状況を示します。**営業活動や投資活動に必要な資金をどのようにして調達しているか**、あるいは、**余剰資金をどれだけ返済にあてているか**がわかります。

2. 3つのキャッシュ・フローの循環に着目しよう

　営業・投資・財務の各キャッシュ・フローは、それぞれを単独で見るのではなく、循環に注目することも大切です。

　図表 7-12 は、3つの会社のキャッシュ・フロー計算書の要約から、各社の状況を把握したものです。

図表 7-12　3つのキャッシュ・フローの循環

	A社	B社	C社
営業活動による キャッシュ・フロー	1,000	800	△1,000
投資活動による キャッシュ・フロー	△800	△1,200	800
財務活動による キャッシュ・フロー	△200	400	200

A社	本業で得られたキャッシュを投資にあて、さらに借入金の返済に充当している。
B社	積極的に設備投資を行うため、本業で得られたキャッシュで不足する部分を借入れ等でまかなっている。
C社	本業によりキャッシュが流出しており、補うために資産の処分を行い、さらに不足する分を借入れ等によりまかなっている。

　3つのキャッシュ・フローの循環を見ることで、企業の活動をキャッシュ・フローの面から全体的につかむことができます。

理解度チェック

次の記述のうち、適切と思われるものは○に、不適切と思われるものは×に、それぞれ丸を付けなさい。

1. キャッシュ・フロー計算書では、1年間のキャッシュ・フローが営業活動、投資活動、および財務活動に区分して表示される。

(O ×)

2. 収益と費用のフローとキャッシュ・フローは、同じフローでも一会計期間でみた場合には一致しないが、損益計算書の当期純利益が大幅な黒字であれば、キャッシュ・フローは必ずプラスになる。

(O ×)

3. キャッシュ・フロー計算書でいう現金とは、手元現金に加えて当座預金、普通預金、通知預金、定期預金などの要求払預金を指す。

(O ×)

4. 現金同等物とは、容易に換金可能であり、かつ価値の変動についてリスクが非常に小さい短期投資を指す。 (O ×)

5. 市場性のある株式の取得などは、それが短期間の運用であれば換金が容易であるため現金同等物に含まれる。 (O ×)

6. 当座借越の利用は、当座借越の残高が貸借対照表上は借入金に含まれている場合でも、負の現金同等物とみなす。 (O ×)

7. 取得日から満期日までの期間が1か月の定期預金の取得支出は、投資活動によるキャッシュ・フローの区分に含まれる。 (O ×)

8. 損益計算書に当期純利益が計上されていれば、営業活動によるキャッシュ・フローは必ずプラスになる。 (O ×)

9. 投資活動によるキャッシュ・フローがプラスであれば、財務活動によるキャッシュ・フローは必ずマイナスになる。 (O ×)

10. 投資活動によるキャッシュ・フローの区分に表示される情報によって、将来の利益やキャッシュ・フローを得るためにどの程度の投資を行ったのかを知ることができる。　　　　　　（○　×）

11. 企業経営に必要な資金をどのように調達したのか、また余剰資金を利用してどのように資金を返済したのかは、投資活動によるキャッシュ・フローの区分から知ることができる。　　　（○　×）

12. 有形固定資産売却益は、投資活動によるキャッシュ・フローの区分に表示される。　　　　　　　　　　　　　　　　（○　×）

13. 投資活動によるキャッシュ・フローの区分では、固定資産や株式などの購入や売却による支出や収入、配当金の支払いによる支出が表示される。　　　　　　　　　　　　　　　　　　（○　×）

14. 非支配株主への配当金の支払額は、財務活動によるキャッシュ・フローの区分に含まれる。　　　　　　　　　　　（○　×）

15. 自己株式の取得による支出は、財務活動によるキャッシュ・フローの区分に含まれる。　　　　　　　　　　　　　（○　×）

16. 連結財務諸表を作成する企業は、会社別の個別キャッシュ・フロー計算書を作成してから連結キャッシュ・フロー計算書を作成することになっている。　　　　　　　　　　　　　（○　×）

17. 営業活動によるキャッシュ・フローの区分の表示方法には直接法と間接法の2つがあるが、実務では直接法を採用している企業がほとんどである。　　　　　　　　　　　　　　　（○　×）

18. 連結キャッシュ・フロー計算書の営業活動によるキャッシュ・フローの表示方法として間接法を採用した場合、減価償却費は税金等調整前当期純利益に加算して表示される。　　（○　×）

19. 間接法による営業活動によるキャッシュ・フローの計算では、売掛金の増加は、キャッシュ・フローを増加させる項目である。
　　　　　　　　　　　　　　　　　　　　　　　　　（○　×）

解答・解説

番号	解答	解　説
1	○	キャッシュ・フロー計算書の構成については、大項目の名称・順序を確実に理解しておきましょう。
2	×	損益計算書でどれだけ大きな利益が出ていたとしても、<u>キャッシュ・フローがプラスであるとはかぎりません</u>。
3	×	当座預金、普通預金、通知預金は要求払預金ですが、<u>定期預金は、期限の定めがあるため、要求払預金に該当しません</u>。要求払預金とは、事前の通知を必要としない、または、数日前に通知をすることによって、元本が引き出せる預金です。期限の定めはありません。なお、定期預金のうち、預入期間が３か月以内のものなど一定のものは、キャッシュの範囲に含まれます。ただし、現金（手元現金＋要求払預金）ではなく、現金同等物としてキャッシュの範囲に含まれます。
4	○	現金同等物の定義です。空欄補充の問題でも対応できるようにしておきましょう。
5	×	市場性のある株式は、価値の変動についてリスクが小さいとはいえないため、<u>現金同等物には該当しません</u>。
6	○	当座借越は、当座預金による支払決済機能を補う性質のものであると考えられるため、負の現金同等物として、キャッシュの範囲に含まれます。
7	×	一般に、預入期間１か月の定期預金は、現金同等物としてキャッシュの範囲に含まれます。このような定期預金への預入れは、キャッシュのなかでの移動に過ぎません。このため、<u>キャッシュ・フロー計算書では、特に表示されません</u>。なお、期間１年の定期預金への預入れは、投資活動によるキャッシュ・フローの区分に「定期預金の預入れによる支出」などとして表示されます。
8	×	当期純利益がプラスだからといって、<u>営業活動によるキャッシュ・フローがプラスであるとはかぎりません</u>。

番号	解答	解　説
9	×	3つの区分のキャッシュ・フローは、それぞれが独立しています。<u>ある区分のプラス・マイナスが、他の区分のプラス・マイナスを決定するということはありません。</u>
10	○	キャッシュ・フロー計算書を見る場合には、過去の投資がいまどれだけ成果をもたらしているか、いま行った投資が今後どう結実するのかといったように、経緯との関係で評価するという視点があります。
11	×	資金の調達や返済の状況は、<u>財務活動によるキャッシュ・フローの区分の表示によりみることができます。</u>
12	×	有形固定資産売却益は、損益項目であり、収支ではありません。投資活動によるキャッシュ・フローの区分に表示されるのは、<u>有形固定資産の売却による収入</u>です。なお、営業活動によるキャッシュ・フローを間接法により表示する場合には、資産の売却益は、連結キャッシュ・フロー計算書では税金等調整前当期純利益に対する調整項目として減算されます。この場合、有形固定資産売却益は、<u>営業活動によるキャッシュ・フローの区分</u>に表示されます。
13	×	<u>配当金の支払額は、財務活動によるキャッシュ・フローとして表示します。</u>なお、利息の受取り・支払い、配当金の受取りに関するキャッシュ・フローの表示区分については2つの方法がありますが、配当金の支払いについては、必ず財務活動によるキャッシュ・フローの区分に表示されます。
14	○	子会社で支払われた配当についても、財務活動によるキャッシュ・フローとして表示します。
15	○	自己株式の取得による支出は、有価証券投資ではなく、資本の払戻しと考え、財務活動によるキャッシュ・フローとして表示されます。

解答・解説

番号	解答	解　説
16	×	連結キャッシュ・フロー計算書の作成方法には、原則法と簡便法の2つの方法があり、いずれも採用が認められています。 **原則法** 会社別のキャッシュ・フロー計算書を作成し、単純合算・連結調整などにより連結キャッシュ・フロー計算書を作成する方法 **簡便法** 連結貸借対照表と連結損益計算書から連結キャッシュ・フロー計算書を導く方法 実務では、簡便法が圧倒的に多く採用されています。
17	×	営業活動によるキャッシュ・フローの表示方法について、実務では、間接法が採用されていることがほとんどです。
18	○	減価償却費は非資金費用です。減価償却費が計上されている分だけ、資金の収支に比べて利益は小さくなっています。そこで、減価償却の金額を利益に加算して調整します。
19	×	売掛金の増加は、キャッシュ・フローを減少させる項目です。「売掛金が増加している→それだけ資金化（回収）が遅れている→キャッシュ・フローの減少」とイメージするとよいでしょう。

第8章

附属明細表と
注記の理解

1 附属明細表と注記の内容

Point

- 附属明細表は、貸借対照表、損益計算書などに記載されている重要項目を補足するための明細表である。
- 附属明細表の種類には6つがあり、連結財務諸表を作成する会社では、個別財務諸表の附属明細表について一部省略することができる。
- 注記は、財務諸表の作成の前提や貸借対照表、損益計算書など個々の計算書に記載されている項目等について説明したものである。

1．附属明細表の意義を理解しよう

　附属明細表は、他の財務諸表に記載されている重要項目について、期中の増減や期末残高の明細を表示した書類です。会社計算規則（会社法の計算書類の枠組み）では附属明細書と呼ばれています。

　附属明細表には、①有価証券明細表、②有形固定資産等明細表、③引当金等明細表、④社債明細表、⑤借入金等明細表、⑥資産除去債務明細表の6つがあります。連結財務諸表では④〜⑥が作成され、個別財務諸表では①〜③が作成されます。連結財務諸表を作成しない会社では、個別財務諸表について①〜⑥が作成されます。

2．注記の意義を理解しよう

　注記は、連結財務諸表・個別財務諸表それぞれについて、その作成の前提や内容・内訳などを説明するものです。注記されるものは多岐にわたりますが、次のようなものがあります。

- ・連結財務諸表作成のための基本となる重要な事項
- ・重要な会計方針　　・会計方針の変更
- ・表示方法の変更　　・会計上の見積りの変更
- ・修正再表示　　　　・重要な後発事象
- ・継続企業の前提　　・セグメント情報

2 注記の方法と種類

第1章
第2章
第3章
第4章
第5章
第6章
第7章
第8章
第9章
第10章

Point

- 注記の方法には、併記、脚注、一括表示などの方法がある。
- 注記の内容には、財務諸表全体にかかわる注記事項のほか、セグメント情報にかかわる注記などがある。

1．注記の方法について理解しよう

　注記の方法には、対象となる項目に併記する方法、それぞれの計算書の最後に記載する方法、キャッシュ・フロー計算書の後にすべての注記を一括して記載する方法があります。ただし、特定の項目または金額に関する注記については、関連が明らかになるよう記載する必要があります。

2．注記の種類について理解しよう

①連結財務諸表作成のための基本となる重要な事項

　連結の範囲、持分法の適用、会計処理基準などがあります。

②重要な会計方針

　有価証券・棚卸資産の評価基準と評価方法、固定資産の減価償却方法、繰延資産の処理方法、外貨建て資産・負債の換算基準、引当金の計上基準、収益・費用の計上基準、キャッシュ・フロー計算書の資金の範囲などがあります。

③重要な会計上の見積りに関する注記

　退職給付債務の算定額や、固定資産の減損額などの金額に不確実性がある場合に、項目名、当年度の財務諸表に計上した金額の算定方法、算定に用いた仮定、翌年度の財務諸表に与える影響など、財務諸表利用者の理解のための情報が注記されます。

④会計方針の変更

　会計方針を変更した場合、新しい会計方針を**前年度以前の財務諸表に** 遡 って反映し、変更の内容・理由、前年度の金額への影響額などが注記されます。

⑤表示方法の変更

　表示方法を変更した場合も、**前年度以前に遡って財務諸表の組替え**を行います。組替えの内容・理由、前年度の金額への影響などが注記されます。

⑥会計上の見積りの変更

　たとえば、有形固定資産の減価償却における耐用年数など、会計処理にあたってはさまざまな見積りを前提としています。会計上の見積りの変更を行った場合には、**前年度以前に遡らずその期から将来に向かって変更**し、変更の内容・影響額などが注記されます。

⑦修正再表示

　前年度以前の財務諸表に誤り（誤謬）があった場合、**前年度以前に遡って修正**します。これを修正再表示といいます。誤りの内容、前年度への影響額などが注記されます。

⑧重要な後発事象

　決算日の翌日から財務諸表提出日までに発生した重要な事柄を後発事象といいます。

　このうち、翌年度以降の財務諸表に重要な影響を及ぼすものについて注記されます。事業の譲受や災害の発生などがこれにあたり、**開示後発事象**といわれます。なお、後発事象のうち、当年度の財務諸表に影響するものはすでに当年度の金額に反映されているため、特に注記はされません。得意先の倒産による売掛金の貸倒れなどがこれにあたり、**修正後発事象**といわれます。

⑨継続企業の前提

　財務諸表は、企業が将来にわたって存続することを前提として作成されます（継続企業の前提）。その前提に不確実性がある場合には、状況と内容、対応策、財務諸表への反映の有無などが注記されます。

⑩セグメント情報

　セグメントとは、1つのものを分割した一部分のことをいいます。財務諸表では、事業別・地域別の情報が注記されます。

　具体的には、連結財務諸表の売上・利益・資産・負債などの金額について、事業別・地域別の内訳が開示されます。その合計額は、原則として連結貸借対照表および連結損益計算書の金額と一致します。セグメント情報については、経営者が実際に意思決定や業績評価に用いている単位での情報を開示する方法（**マネジメント・アプローチ**）が取られています。

第1章
第2章
第3章
第4章
第5章
第6章
第7章
第8章
第9章
第10章

理解度チェック

次の記述のうち、適切と思われるものは○に、不適切と思われるものは×に、それぞれ丸を付けなさい。

1. 附属明細表は、財務諸表に記載されている項目のうち重要な項目について明細を補足する書類である。　　　　　　　　　　（O　×）

2. 有価証券明細表は、連結財務諸表で作成している場合には、個別財務諸表では作成する必要がない。　　　　　　　　　　（O　×）

3. 借入金等明細表は、連結財務諸表で作成している場合には、個別財務諸表では作成する必要がない。　　　　　　　　　　（O　×）

4. 財務諸表の作成にあたって採用した表示方法を変更し、前年度以前に遡って表示を修正することを修正再表示という。　　（O　×）

5. 資産・負債・収益・費用などの金額に不確実性がある場合の注記は、継続企業の前提として記載する。　　　　　　　　（O　×）

6. 決算日の翌日から財務諸表作成日までに発生し、企業の財務状態や経営成績などに影響を及ぼす事象を後発事象という。（O　×）

7. 事業別・地域別の情報を開示するための注記は、会計上の見積りとして記載する。　　　　　　　　　　　　　　　　　（O　×）

8. セグメント情報の注記ではマネジメント・アプローチが採用されているため、セグメント別売上高の合計は、連結損益計算書の連結売上高とは一致しない。　　　　　　　　　　　　　　　（O　×）

解答・解説

第1章
第2章
第3章
第4章
第5章
第6章
第7章
第8章
第9章
第10章

番号	解答	解　説
1	O	附属明細表は、財務諸表に記載されている重要項目について、期中の増減や期末残高の明細を表示した書類です。
2	×	有価証券明細表は、<u>個別の財務諸表で作成します</u>。
3	O	借入金等明細表、社債明細表、資産除去債務明細表は、連結財務諸表で作成します。
4	×	修正再表示は、<u>前年度以前の財務諸表に誤りがあった場合、前年度以前に遡って修正する</u>ことです。なお、財務諸表の作成にあたって採用した表示方法を変更し、前年度以前に遡って表示を修正する場合には、<u>財務諸表の組替え</u>を行います。
5	×	資産・負債・収益・費用などの金額に不確実性がある場合の注記は、<u>会計上の見積りの変更</u>として記載します。
6	O	発生した内容により、開示後事象と修正後発事象に分類されます。
7	×	事業別・地域別の情報を開示するための注記は、<u>セグメント情報</u>として記載します。
8	×	セグメントの仕方は企業ごとに異なりますが、開示される合計金額は連結貸借対照表・連結損益計算書と<u>原則として一致する</u>よう内訳が示されます。

第9章

財務諸表分析の理解

1 財務諸表の構成要素

Point

- 給付とは財・サービスのことであり、給付の流出を収益と呼び、給付の流入を原価と呼ぶ。
- フローを表した財務諸表がキャッシュ・フロー計算書であり、給付の流れを表した財務諸表が損益計算書であり、ストックを表した財務諸表が貸借対照表である。

1．フローとストックを理解しよう

① フローを表す財務諸表

フロー（flow）とは、文字どおり流れのことです。企業取引では、**資金の流れ**と商品などの**財・サービスの流れ**があります。財・サービスのことを、給付と呼びます。

A社が300円で購入（給付の流入）した商品を、B社に500円で販売（給付の流出）した例を考えてみましょう。資金の流れは、300円のアウトフロー（資金の流出）と500円のインフロー（資金の流入）です。この流れを表す財務諸表が、キャッシュ・フロー計算書です。

資金の流出と資金の流入をともなう現金取引ではなく掛取引であっても、給付の流入と流出は行われています。給付の差額は利益であり、給付の流れを表す財務諸表は、損益計算書です。

② ストックを表す財務諸表

ストック（Stock）とは、名詞では在庫、動詞では保管するという意味で、企業取引では、在高のことです。貸借対照表は、ストックを表す財務諸表といわれています。

上記①の例で掛取引の場合を考えてみると、商品は流出しているのに、資金は流入していません。給付の流れと資金の流れの期間的なズレを**期間帰属の差異**といい、この差異をストックとして表すの

が、貸借対照表です。

2．貸借対照表の構成を理解しよう

貸借対照表の構成は、以下の計算式で表すことができます。

資産＝負債＋純資産

貸借対照表を資金の側面からみると、**図表 9-1** のとおりです。

図表 9-1　資金の側面からみた貸借対照表

借方＝運用を表す	貸方＝調達を表す
資産（現金や有価証券などで運用）	負債（返済を要するもの）
	純資産（返済を要しないもの）

貸借対照表は、右側で資金の調達源泉、左側で資金の運用形態を示しています。

✏️検定対策

▶ フローとストックを中心に財務諸表を理解することは難解です。検定試験では、項目・金額について空欄を補充させる出題に備えて確認しておけば十分です。

2 財務諸表分析に用いるデータ

Point

- ●財務分析のためには、さまざまな公表データとの比較が行われる。
- ●公表データには、EDINET や決算短信などがある。
- ●課題の抽出を行うために、要約財務諸表を作成する。

1．財務諸表分析のためのデータを知ろう

　財務諸表分析には、自社の時系列比較、標準指標との比較、同業他社比較などが用いられます。

　自社の時系列比較では、データ収集は簡単です。ビジネス会計検定2級では、連結財務諸表を作成している上場会社などが出題の対象です。対象となる会社では、当然のことながら、基幹システムの中心には会計システムがあり、複数年の時系列分析ができるようになっているでしょう。

　他方、業界平均値等の標準指標との比較には、有料のデータベースである日本経済新聞社の日経 NEEDS などを利用します。また、同業他社比較では、EDINET や決算短信などの公表値を利用します。

2．同業他社の時系列データの確認方法を知ろう

　上記1で述べたように、同業他社の時系列データは、EDINET や決算短信などの公表値を利用して収集します。EDINET で確認できる有価証券報告書には、「主要な経営指標等の推移」「提出会社（親会社）の経営指標等」に、5期間の主要な指標が掲載されています。

　また、法定書類ではありませんが、金融商品取引所が適時開示を求めている決算短信と、取引所が適時開示を求めている決算短信にも、重要な情報が2期間分掲載されています。企業名と決算短信というキーワード（例：“ZOZO　決算短信”）で検索すると、最新の

決算短信だけでなく、過去の決算短信も確認できます。

3. 同業他社分析の方法を知ろう

Excel で家計簿を管理する場合、あまり細かい情報を羅列しすぎると、かえって分析しにくくなります。企業の財務分析でも、同じことがいえます。そこで、**要約財務諸表**を活用します。たとえば、損益計算書であれば、**図表 9-2** のように編集して問題点や課題を確認します。

図表 9-2　連結損益計算書の比較（要約）

(単位：百万円)

期間	A 社		B 社	
	X3 年 4 月〜 X4 年 3 月	X4 年 4 月〜 X5 年 3 月	X3 年 4 月〜 X4 年 3 月	X4 年 4 月〜 X5 年 3 月
売上高	32,000	35,300	16,500	17,000
売上原価	21,800	23,000	10,500	10,800
売上総利益	10,200	12,300	6,000	6,200
販売費及び 一般管理費	6,500	7,000	4,000	3,900
営業利益	3,700	5,300	2,000	2,300
営業外収益	500	600	100	150
営業外費用	700	2,700	150	200
経常利益	3,500	3,200	1,950	2,250

（以下省略）

図表 9-2 の A 社と B 社を X4 年度（X4 年 4 月〜 X5 年 3 月）で比較してみましょう。

売上高に対する営業利益の割合を示す営業利益率は、A 社は約 15.0 ％（5,300 百万円 ÷ 35,300 百万円 × 100）に対し、B 社は約 13.5 ％（2,300 百万円 ÷ 17,000 百万円 × 100）と、差は約 1.5 ％です。しかし、売上高に対する経常利益の割合を示す経常利益率では、A

第 1 章
第 2 章
第 3 章
第 4 章
第 5 章
第 6 章
第 7 章
第 8 章
第 9 章
第 10 章

社は約 9.1％（3,200 百万円 ÷ 35,300 百万円 × 100）に対し B 社は約
13.2％（2,250 百万円 ÷ 17,000 百万円 × 100）と、差が大きくなっ
ています。B 社に差をつけられた原因を把握するためには、A 社の
営業外費用の増加要因を科目別・補助科目別に分析するなどを行う
ことになります。

　要約損益計算書を使用することで、最初から詳細な科目別分析を
行うのではなく、効率的な分析が行えます。

◎同業他社情報のダウンロードと利用

　EDINET や決算短信のデータは、XBRL（※）形式でダウンロードでき、
同業他社の情報の取得が可能です。

　XBRL 形式のデータは Excel などで利用でき財務分析に力を発揮する
のは Excel です。最近では、パワークエリ、パワーピボットなどデータ
分析に特化した機能も充実しています。財務分析を机上の学問から一歩
進めるために、IT の知識習得にも力を入れるとよいでしょう。

（※）XBRL（eXtensible Business Reporting Language）：財務情報を効率的に作成・利
　　　用できるよう、国際的に標準化されたコンピュータ言語

3 基本分析・百分比財務諸表分析

Point

- 百分比財務諸表分析は、財務諸表を分析するさいのもっとも基本的な手法である。財務諸表の各項目について、全体に占める割合をパーセントで示した比率を用いて分析を行う。
- 時系列分析には、対前年度比率、伸び率、対基準年度比率の3つの分析手法がある。

1.百分比財務諸表分析を理解しよう

　百分比財務諸表分析は、貸借対照表や損益計算書の各項目について、全体に占める割合を百分比（パーセント）で示すことにより、分析を行うものです。算出された比率について、時系列で比較したり、他社と比較したりすることで分析を行います。

① 貸借対照表の構成比率

　貸借対照表の各項目について、構成割合を百分比で示したものが、貸借対照表構成比率です。また、パーセント表示された貸借対照表を、百分比貸借対照表ということもあります。

　各項目の構成比率は、以下のように算出されます。

$$貸借対照表構成比率 = \frac{貸借対照表の各項目の金額}{資産合計（＝負債純資産合計）} \times 100（\%）$$

② 損益計算書の構成比率

　損益計算書の各項目について、売上高に占める割合を百分比で示したものが損益計算書百分比です。また、パーセント表示された損益計算書を、百分比損益計算書ということもあります。

　各項目の比率は、以下のように算出されます。

$$損益計算書百分比 = \frac{損益計算書の各項目の金額}{売上高} \times 100（\%）$$

2．時系列分析の考え方を理解しよう

　時系列分析とは、財務諸表の項目の伸びや推移を、分析によりつかむものです。このため、趨勢分析や伸び率の分析ともいわれます。時系列分析である対前年度比率、伸び率、対基準年度比率は、企業の成長性の基本的な分析指標となります。

① 対前年度比率

　分析の対象となる年度の数値について、前年度の数値に対する比率を表したものを対前年度比率といいます。前年度の数値を100％として算出します。

$$対前年度比率 = \frac{分析対象項目の対象年度の数値}{対象項目の前年度の数値} \times 100（\%）$$

② 伸び率（増減率）

　分析の対象となる年度の数値について、前年度の数値に対する前年からの増減額の比率を表したものを伸び率といいます。前年度の数値を100％として算出します。

$$伸び率 = \frac{分析対象項目の数値の前年度からの増減値（当年度－前年度）}{対象項目の前年度の数値} \times 100（\%）$$

③ 対基準年度比率

　分析の対象となる年度の数値について、特定の年度の数値を基準（100％）とした比率を表したものが、対基準年度比率です。対基準年度比率は、複数年度の推移を把握しやすい指標です。

$$対基準年度比率 = \frac{分析対象項目の対象年度の数値}{対象項目の基準年度の数値} \times 100（\%）$$

4 安全性分析① 短期の安全性分析

Point

- 安全性分析は、企業の支払能力や財務健全性を評価し、短期の安全性分析では、主に債務に対する支払手段のバランスに着目する。
- 長期の安全性分析では、資金の運用と調達のバランスのほか、調達源泉のバランスが健全であるかにも着目する。

1．安全性分析の考え方を理解しよう

　安全性分析とは、**債権の回収不能リスク（デフォルトリスク）**を**回避**するための分析です。具体的には、企業の**債務返済能力**や**財務的安定性**を判断するものです。分析の体系と主な指標は、**図表9-3**のとおりです。

図表9-3　安全性分析の全体像

短期の安全性分析	長期の安全性分析
・短期的な支払能力を評価する。 ・主に流動資産・流動負債のバランスをみる。 〈主な指標〉 　・流動比率 　・当座比率 　・手元流動性比率 　・正味運転資本 　・ネットキャッシュ 　・インタレスト・カバレッジ・レシオ	・長期的な財務健全性を評価する。 ・長期での資金調達・資金運用のバランスをみる。 ・資金の調達源泉（負債と純資産）の組み合わせのバランスをみる。 〈主な指標〉 　・固定比率 　・固定長期適合率 　・負債比率 　・自己資本比率

2．短期の安全性分析の指標を理解しよう

① 流動比率

　流動比率は、**流動資産と流動負債のバランス**をみる指標です。式からもわかるように、比率が高いほど、負債の返済にあてるための手段に余裕があり、支払能力が高いことを意味します。

$$流動比率 = \frac{流動資産}{流動負債} \times 100\,(\%)$$

　なお、伝統的な経営分析では、金融機関が与信判断をするときに「200％以上が理想的な値」としていたことから、**2対1の原則**と表現されていました。

② 当座比率

　流動資産のなかには、棚卸資産などのように必ずしも換金性が高くないものも含まれます。当座比率は、**換金可能性の高い資産（当座資産）**のみを支払手段であるとみて計算します。

$$当座比率 = \frac{当座資産}{流動負債} \times 100\,(\%)$$

　当座資産 ＝ 流動資産 － 棚卸資産 － その他の流動資産

　その他の流動資産は、一般的には、総資産に占める割合が1％以下の立替金、前払金、仮払金などをいいます。当座資産の範囲には、さまざまな考え方があります。検定試験では、とくに設問の指示がなければ、上記のとおりと考えてよいでしょう。

③ 手元流動性（手元資金）、手元流動性比率

　手元流動性は、**即時に資金化できる短期の支払手段**を意味します。手元流動性比率は、売上の何か月分の支払資金が手元にあるかを示します。数値が大きいほど、支払能力があることを意味します。

$$手元流動性比率 = \frac{手元流動性}{売上高 \div 12}\,(月)$$

　手元流動性 ＝ 現金及び預金 ＋ 流動資産の有価証券

④ 正味運転資本（正味運転資金）

　値が大きいほど、支払能力が高いことを意味します。

正味運転資本 ＝ 流動資産 － 流動負債

⑤ ネットキャッシュ

有利子負債（長期借入金・短期借入金・リース債務・社債）を加味した余裕資金です。プラスであれば、**実質無借金経営**であることを意味します。

ネットキャッシュ ＝ 手元流動性 － 有利子負債

有利子負債 ＝ 長期借入金 ＋ 短期借入金 ＋ 流動負債のリース債務
＋ 固定負債のリース債務　＋ 社債

⑥ インタレスト・カバレッジ・レシオ

借入金等の利息を支払う能力を測るための指標です。比率が高いほど支払能力があると判断されます。

$$インタレスト・カバレッジ・レシオ = \frac{事業利益（P.143 参照）}{支払利息＋社債利息}（倍）$$

◎財務分析指標の判断基準

　ある経営者が、「当社の流動比率は 130％だから安全性に問題ない」と話しているとしましょう。一般的には、問題なさそうな発言です。しかし、以下のような条件を加えるとどうでしょうか。
①直近 5 年の流動比率は 180％である。
②標準指標での同業他社の流動比率は 150％である。
　企業の財務上のよしあしは、財務分析の公式や一般的傾向だけで判断できるわけではありません。同業他社との比較や時系列分析を通じて判断する必要があります。財務分析では、常に相対的基準を用いることを意識しましょう。

第1章
第2章
第3章
第4章
第5章
第6章
第7章
第8章
第9章
第10章

5 安全性分析②　長期の安全性分析

Point

- 固定比率と固定長期適合率は、固定資産に運用されている資金が、どれだけ安定的な調達によりカバーされているかに着目する指標である。
- 負債比率、自己資本比率は、資金調達の源泉の組み合わせ（自己資本・他人資本）のバランスに着目する指標である。

1. 長期の安全性分析の指標を理解しよう

① 固定比率

　固定比率は、**長期資金の運用と調達のバランス**をみる指標の1つです。純資産は、返済義務のない調達資金です。安全性の面からは、回収に長期を要する固定資産への運用が、純資産の範囲でカバーされていることが理想です。したがって、固定比率の指標は、数値が低いほど、長期の安全性が良好であることを示します。

$$固定比率 = \frac{固定資産＋繰延資産}{純資産} \times 100（\%）$$

② 固定長期適合率

　固定長期適合率は、長期資金の運用と調達のバランスをみるさいに、調達源泉（分母）として、**純資産のほかに固定負債を含めて判断**する指標です。固定比率と同様、数値が低いほど長期の安全性は良好です。指標が100％を超えている場合には、固定資産への投資に、短期的に返済の必要な資金が充当されていることを意味しており、望ましい状態ではありません。

$$固定長期適合率 = \frac{固定資産 ＋ 繰延資産}{純資産 ＋ 固定負債} \times 100（\%）$$

③ 負債比率

　負債比率は、**資金の調達源泉の構成のバランス**から、財務の健全性をみる指標です。純資産は、返済義務がないことから、**自己資本**といわれます。これに対して、負債は他人から調達した資金であることから、**他人資本**といわれます。負債はいずれ返済が必要な資金です。数値が低いほど、返済の必要な資金が少ないことを意味するため、長期の安全性は良好であるといえます。

$$負債比率 = \frac{負債}{純資産} \times 100（\%）$$

④ 自己資本比率

　自己資本比率は、**負債純資産合計（＝総資本）に占める自己資本（＝純資産）**の比率です。比率が高いほど、安全性は良好です。

$$自己資本比率 = \frac{自己資本（＝純資産）}{負債純資産合計（＝総資本）} \times 100（\%）$$

🖉 検定対策

▶ 財務分析を、「自己資本＝純資産」という考え方で行うことがあります。検定試験2級で設問に「純資産を自己資本とみなす」という指示があった場合は、純資産を自己資本として計算・解答してください。なお、本書でも、自己資本＝純資産として解説しています。

▶ 会計制度上の自己資本は、以下の①または②の式で表されます。
　①純資産－株式引受権－新株予約権
　　連結の場合は、非支配株主持分も控除します。
　②株主資本＋評価換算差額
　　連結の場合は、その他の包括利益累計額と表記されます。

6 収益性分析① 資本利益率

Point

- 収益性分析は、投下資本に対する利益の効率性に着目する。
- 分母（投下資本）と分子（利益）には、さまざまな概念の数値を置いて分析される。
- 事業利益は、総資本に対応したリターンを評価するための利益概念である。
- 経営資本は、営業利益を基準にして投下資本の効率性を判断するための資本概念である。

1．収益性分析の考え方を理解しよう

　収益性分析は、企業が利益を獲得する能力をみるものです。投下資本（事業に投入している資金）に対して、どれだけの利益があったかという評価が中心となります。

　投下資本に対する利益の割合を、**資本利益率**といいます。

$$資本利益率 = \frac{利益}{投下資本} \times 100（\%）$$

　値が高いほど、資本が効率的に運用されていることを意味します。

2．資本利益率の具体的指標について理解しよう

　具体的な分析では、上記の式の分母・分子に、さまざまな資本（総資本、自己資本など）や利益（経常利益や当期純利益など）が当てはめられます。

① 総資本利益率

　総資本利益率（**ROI**：Return on Investment）は、総資本（＝総資産）を分母とする資本利益率です。総資産利益率（**ROA**：Return on Assets）ともいわれます。分子に当てはめる利益によって、次のようにさまざまな指標を得ることができます。

$$営業利益 \div 総資本(=総資産) \times 100 = 総資本営業利益率（\%）$$
$$経常利益 \div 総資本(=総資産) \times 100 = 総資本経常利益率（\%）$$
$$税金等調整前当期純利益 \div 総資本(=総資産) \times 100 = 総資本税引前当期純利益率（\%）$$
$$事業利益 \div 総資本(=総資産) \times 100 = 総資本事業利益率（\%）$$

なお、**事業利益**とは、営業利益に経常的な金融収益を加えたものです。総資本（＝総資産）に対するリターンを評価するのであれば、営業利益よりも事業利益のほうが適当だという考え方ができます。

$$事業利益＝営業利益＋受取利息＋有価証券利息＋受取配当金＋$$
$$持分法による投資利益$$

② 経営資本営業利益率

経営資本は、総資本（＝総資産）のうち経営に直接利用されていないものを除いたものをいいます。営業利益を分子とするのであれば、それに対応する分母を適切な数値にして資本利益率を算定しようとするものです。ここでは、簡便に経営資本を算出する算式を紹介します。

$$経営資本営業利益率 = \frac{営業利益}{経営資本} \times 100（\%）$$

$$経営資本 = \begin{array}{c}総資本\\(=総資産)\end{array} - \left(\begin{array}{c}投資その他の資産 ＋\\建設仮勘定 ＋ 繰延資産\end{array}\right)$$

③ 自己資本当期純利益率

自己資本当期純利益率（**ROE**：Return on Eqity）は、自己資本（＝純資産）に対してどれだけの利益があったかを評価するものです。株主（出資者）の立場からみた指標であるため、一般的に、分子には**親会社株主に帰属する当期純利益**を用いて投資効率を判断します。

$$\begin{array}{c}自己資本当期純利益率\\(ROE)\end{array} = \frac{親会社株主に帰属する当期純利益}{自己資本（=純資産）} \times 100（\%）$$

第1章
第2章
第3章
第4章
第5章
第6章
第7章
第8章
第9章
第10章

7 収益性分析②　売上高利益率と資本回転率

Point

- 資本利益率は、売上高利益率と資本回転率に分解できる。
- 投下資本に対する収益性は、利幅と資金の回転の速さの2つの要素に影響を受ける。
- 資本回転率と資本回転期間は、資金の回転の速さをみる指標である。
- 総資本全体としての回転の速さをみるほか、構成要素（売上債権や棚卸資産など）に細分化して、回転率・回転期間を分析できる。

1．資本利益率の構成要素を理解しよう

　資本利益率は、**売上高利益率**と**資本回転率**の掛け算に分解することができます。

$$資本利益率 = \underbrace{\frac{利益}{売上高} \times 100}_{売上高利益率（\%）} \times \underbrace{\frac{売上高}{投下資本}}_{資本回転率（回）} （\%）$$

　売上高利益率は、売上高に対する利益の割合を示します。また、資本回転率は、投下資本に対して売上高が何倍あったかを示します。つまり、利幅が大きく、回収までの期間が短くて効率的に資本を活用できるほど、資本利益率の指標が良好になることがわかります。

2．売上高利益率の具体的指標を理解しよう

　売上高利益率は、分子に当てはめる利益により、次のようにさまざまな指標を得ることができます。

売上総利益 ÷ 売上高 × 100 ＝ 売上高売上総利益率（%）
営業利益 ÷ 売上高 × 100 ＝ 売上高営業利益率（%）
経常利益 ÷ 売上高 × 100 ＝ 売上高経常利益率（%）
当期純利益 ÷ 売上高 × 100 ＝ 売上高当期純利益率（%）

3．資本回転率の具体的指標を理解しよう

① 総資本回転率

総資本回転率は、総資本（＝総資産）に対して何倍の売上があったかを示します。投下資本が一定であるならば、売上高が大きいほど、資本が有効に活用されていることになります。したがって、値が大きいほど、資本が効率的に使われていることを表します。

$$総資本回転率 = \frac{売上高}{総資本（＝総資産）}（回）$$

② 売上債権回転率・棚卸資産回転率・仕入債務回転率

企業は、売上債権（受取手形と売掛金と電子記録債権の合計）や在庫（棚卸資産）などさまざまな資産に資金を投下しています。資本回転率の計算式の分母（投下資本）に売上債権や棚卸資産、仕入債務（支払手形と買掛金と電子記録債務の合計）などを当てはめることで、それぞれの運用・調達の効率をみることができます。

$$売上債権回転率 = \frac{売上高}{売上債権}（回）$$

$$棚卸資産回転率 = \frac{売上高}{棚卸資産}（回）$$

$$仕入債務回転率 = \frac{売上高}{仕入債務}（回）$$

4．資本回転期間の具体的指標を理解しよう

資本回転期間は、資本回転率の逆数で求められます。売上高の何年分の資本を投下しているかを示します。したがって、数値が小さいほど、資本効率は有効であることを意味します。

分母の売上高には、1年当たりの売上高を用いる場合のほか、1月当たり売上高、1日当たり売上高を用いることもあります。

$$資本回転期間 = \frac{投下資本}{売上高} （年） = \frac{投下資本}{売上高 \div 12} （月）$$

1 日当たり売上高を用いた場合の計算式は、次のとおりです。

$$総資本回転期間 = \frac{総資本（＝総資産）}{売上高 \div 365} （日）$$

$$売上債権回転期間 = \frac{売上債権}{売上高 \div 365} （日）$$

$$棚卸資産回転期間 = \frac{棚卸資産}{売上高 \div 365} （日）$$

$$仕入債務回転期間 = \frac{仕入債務}{売上高 \div 365} （日）$$

「売上高○日分の売上債権がある」というように、資本効率を直感的に理解しやすい指標といえます。

5．キャッシュ・コンバージョン・サイクルを理解しよう

キャッシュ・コンバージョン・サイクルは、仕入債務を支払ってから、その後発生した売上債権が回収されるまでにかかる日数を示す指標です。日数が短くなれば回収までの期間が短くなるため、資金効率がよいことを意味します。

キャッシュ・コンバージョン・サイクル

＝売上債権回転期間＋棚卸資産回転期間－仕入債務回転期間（日）

6．自己資本当期純利益率を要素に分解して理解しよう

　自己資本当期純利益率（ROE）（P.143 参照）は、株主の立場から投資効率をみる指標です。自己資本（＝純資産）の額と結びつけて考えると、以下のように分解することができます。

自己資本当期純利益率（ROE）

$$= \frac{親会社株主に帰属する当期純利益}{自己資本（＝純資産）} \times 100（\%）$$

　財務レバレッジは、自己資本比率の逆数となっています。単位は倍です。財務レバレッジが高いことは、自己資本以外に他人資本（負債）も多く使って事業を行っていることを意味します。株主の立場からの投資効率には、売上高利益率と資本回転率に加えて、他人資本の活用の程度も影響することがわかります。

8 キャッシュ・フローの分析

1．フリー・キャッシュ・フローを理解しよう

　フリー・キャッシュ・フローとは、事業で稼いだキャッシュで投資を行ったのち、さらに自由に使える分がどのくらいあるかを示すものです。プラスの場合、営業キャッシュ・フローで投資活動をまかなうことができていることを意味します。さらに、フリー・キャッシュ・フローで借入れを返済すれば、自己資本比率が高まり、財務の健全性も向上します。逆に、マイナスの場合、投資活動に必要な資金を営業キャッシュ・フローだけではまかなえないため、外部からの借入れなどで資金を調達する必要があります。

　　フリー・キャッシュ・フロー
　　＝営業活動によるキャッシュ・フロー＋投資活動によるキャッシュ・フロー

2．営業キャッシュ・フロー・マージンを理解しよう

　営業キャッシュ・フロー・マージンは、**企業のキャッシュ・フローベースでの収益性**を評価する指標です。

$$\text{営業キャッシュ・フロー・マージン} = \frac{\text{営業活動によるキャッシュ・フロー}}{\text{売上高}} \times 100（\%）$$

　売上高営業利益率の計算式で、分子を営業利益に代えて、営業活動によるキャッシュ・フローを当てはめたと考えればよいでしょう。

3．自己資本営業キャッシュ・フロー比率を理解しよう

　自己資本営業キャッシュ・フロー比率は、**自己資本から、どれだけ営業活動によるキャッシュ・フローが創出されるか**をみる指標です。比率が高いほどキャッシュ・フローの創出能力が高く、資本効率は良好であるといえます。

$$\text{自己資本営業} \atop \text{キャッシュ・フロー比率} = \frac{\text{営業活動による} \atop \text{キャッシュ・フロー}}{\text{自己資本（＝純資産）}} \times 100（\%）$$

4．経営資本営業キャッシュ・フロー比率を理解しよう

　経営資本営業キャッシュ・フロー比率は、**経営資本から、どれだけ営業活動によるキャッシュ・フローが創出されるか**をみる指標です。比率が高いほどキャッシュ・フロー創出能力が高く、資本効率は良好であるといえます。

$$\text{経営資本営業} \atop \text{キャッシュ・フロー比率} = \frac{\text{営業活動による} \atop \text{キャッシュ・フロー}}{\text{経営資本}} \times 100（\%）$$

5．営業キャッシュ・フロー対流動負債比率を理解しよう

　営業キャッシュ・フロー対流動負債比率は、流動負債に対して、営業活動によるキャッシュ・フローがどれだけあるかを示すことで、**企業の支払能力**を評価するものです。比率が高いほど、支払能力が良好であることを意味します。

$$\text{営業キャッシュ・フロー対} \atop \text{流動負債比率} = \frac{\text{営業活動による} \atop \text{キャッシュ・フロー}}{\text{流動負債}} \times 100（\%）$$

6．営業キャッシュ・フロー対有利子負債比率を理解しよう

　営業キャッシュ・フロー対有利子負債比率は、流動負債のうち借入金・社債などの利子が発生する負債（有利子負債）に着目して、**短期の安全性**を判断する指標です。比率が高いほど、短期の安全性が高いといえます。

$$\text{営業キャッシュ・フロー対有利子負債比率} = \frac{\text{営業活動によるキャッシュ・フロー}}{\text{有利子負債}} \times 100（\%）$$

7．設備投資額対キャッシュ・フロー比率を理解しよう

　設備投資額対キャッシュ・フロー比率は、営業活動によるキャッシュ・フローのうち、どれだけ設備投資にあてられているかをみる指標です。有形固定資産の取得による支出と、有形固定資産の売却による収入は、いずれもキャッシュ・フロー計算書のうち、投資活動によるキャッシュ・フローの区分に記載される項目です。

$$\text{設備投資額対キャッシュ・フロー比率} = \frac{\text{設備投資額}}{\text{営業活動によるキャッシュ・フロー}} \times 100（\%）$$

$$\text{設備投資額} = \text{有形固定資産の取得による支出} - \text{有形固定資産の売却による収入}$$

◎利益とキャッシュ・フロー

　利益とキャッシュ・フローの違いを活かすのが、キャッシュ・フロー分析です。たとえば、売上高営業利益率が15％あるのに、営業キャッシュ・フロー・マージンが5％しかない場合は、回収率の低下や不良在庫の増加が考えられます。

　この考え方は、経営資本営業利益率と経営資本キャッシュ・フロー比率の比較にもあてはまります。単一の分析指標ではなく、複数の指標を検証することで、より詳細に企業の状況を分析できます。

9 セグメント情報の分析

Point

- セグメント情報は、企業グループを構成する複数の事業について、個々の財務状況・経営成績を把握するための情報である。
- セグメント情報の分析指標には、セグメント売上高利益率、セグメント資産利益率、セグメント項目の対前年度比などがある。

1. セグメント情報の意義を理解しよう

　企業グループは複数の事業から構成されるため、グループ全体だけでなく、事業ごとの財務状況・経営成績を把握する必要があります。たとえば、A事業とB事業では収益性が大きく異なる、地域によって売上高が大きく異なるといったこともあります。こうした企業の多角化や国際化の状況を開示するものがセグメント情報です。

　セグメント情報は、事業の種類別セグメント情報が代表的ですが、そのほかに親会社・子会社の所在地別セグメント情報や海外売上高情報などがあります。

図表 9-4　事業の種類別セグメント情報の例

（単位：百万円）

	A事業	B事業	C事業	D事業	計	調整額	連結計上額
外部顧客に対する売上高	500,000	160,000	90,000	50,000	800,000		800,000
内部売上高又は振替高	200	400	1,200	600	2,400	△2,400	
計	500,200	160,400	91,200	50,600	802,400	△2,400	800,000
セグメント利益又は損失	55,000	8,000	40,000	12,000	115,000		
セグメント資産	1,500,000	400,000	150,000	340,000	2,390,000	3,000	2,393,000
その他の項目(以下省略)							

第1章
第2章
第3章
第4章
第5章
第6章
第7章
第8章
第9章
第10章

2．セグメント情報の分析を理解しよう

① セグメント構成比の分析

　売上・利益や資産の構成割合（セグメント構成比）によって、各セグメントのグループ全体への貢献度合いをみることができます。

図表 9-5　セグメント構成比の例

	A事業	B事業	C事業	D事業	計
外部顧客に対する売上高	63%	20%	11%	6%	100%
内部売上高又は振替高	8%	17%	50%	25%	100%
セグメント利益又は損失	48%	7%	35%	10%	100%
セグメント資産	63%	17%	6%	14%	100%

② セグメント利益率の分析

　企業全体を分析するのと同様に、各セグメントについて売上高利益率（利益÷売上高）や資産利益率（利益÷資産）をみることができます。

図表 9-6　セグメント利益率の例

	A事業	B事業	C事業	D事業	計
セグメント売上高利益率	11%	5%	44%	24%	14%
セグメント資産利益率	4%	2%	27%	4%	5%

③ 対前年度・時系列比較による事業構成の変化の分析

　対前年度比較や時系列比較によって、企業の事業展開の変化や方向性をつかむことができます。

図表 9-7　事業構成の変化の例

X4 年 4 月〜 X5 年 3 月（対前年比）

	A事業	B事業	C事業	D事業	平均
セグメント売上高利益率	115%	95%	135%	102%	112%
セグメント資産利益率	102%	98%	113%	98%	103%

　連結合計額が連結貸借対照表・連結損益計算書と合致するという数字的な整合関係をおさえておきましょう。

10 連単倍率と規模倍率

Point

- 連単倍率は、個別財務諸表に対する連結財務諸表倍率である。
- 規模倍率は、連単倍率を複数の企業間で比較した指標である。

1．連単倍率の考え方を理解しよう

　連単倍率は、**親会社個別財務諸表**の数値に対する**連結財務諸表**の数値の比率をいいます。

　親会社単独の活動に対して、企業集団全体としてはどれだけの規模があるのかをみることができます。

$$連単倍率 ＝ \frac{連結財務諸表の数値}{親会社個別財務諸表の数値}（倍）$$

2．連単倍率の具体的指標を理解しよう

　連単倍率は、財務諸表のさまざまな項目について計算することが可能です。売上高、経常利益、当期純利益、総資産、純資産などをみるのが一般的です。

　売上高や総資産については、連結ベースの金額には子会社の分が含まれるため、通常、連単倍率は1倍を超えます。

　一方、利益や純資産については、連結子会社が赤字であったり債務超過である場合があるので、1倍を下回ることもあります。

> **債務超過：**
> 総資産より総負債のほうが多く、純資産がマイナスの状態をいう。

3．規模倍率の考え方を理解しよう

　連単倍率と同じ発想で他社の指標と比較することで、企業間の規模の違いをみることができます。これを規模倍率といいます。

　規模倍率は、あらゆる指標について計算することができますが、代表的なものとして、資産合計、売上高、当期純利益について紹介します。

$$資産合計の規模倍率　＝　\frac{比較企業の資産合計}{基準企業の資産合計}（倍）$$

$$売上高の規模倍率　＝　\frac{比較企業の売上高}{基準企業の売上高}（倍）$$

$$当期純利益の規模倍率　＝　\frac{比較企業の当期純利益}{基準企業の当期純利益}（倍）$$

　たとえば、自社と他社を比較して、他社は資産合計の規模に対して当期純利益の規模の倍率が高ければ、他社のほうが投資効率が高いといった分析ができます。

✏️検定対策

▶ 計算問題では、分母・分子の混同に注意しましょう。

▶ 「総資産の連単倍率は１倍未満にはならない」といった文章の正誤を問う問題により、連結財務諸表の構造への理解が問われます。

154

11 損益分岐点分析① 損益分岐図表

Point

- 損益分岐点は、収益＝費用（損益がゼロ）となる操業度をいう。
- 損益分岐点分析は、費用を固定費と変動費に分解することで、費用・操業度・利益に一定の相関関係があることを前提にして行われる。

1．損益分岐点分析の考え方を理解しよう

損益分岐点により企業の採算性を分析することを損益分岐点分析といいます。

損益分岐点（**BEP**：Break Even Point）とは、**収益＝費用となる操業度**をいいます。操業度は、企業の活動量のことであり、具体的には**販売数量**や**生産時間**などを意味します。損益分岐点は、赤字から黒字に転換する操業度と考えるといいでしょう。また、損益分岐点における売上高を**損益分岐点売上高**といいます。

損益分岐点分析は、費用（Cost）と操業度（Volume）と利益（Profit）の関係を分析するものです。この関係を **CVP 関係**ということもあります。

2．損益分岐図表（利益図表）の考え方を理解しよう

操業度と費用と利益の関係をグラフに表したものを、損益分岐図表（または利益図表）といいます。例を見てみましょう。

次ページの**図表 9-8** は、縦軸に収益・費用の金額をとり、横軸に操業度（ここでは売上高としています）をとったものです。

①操業度と収益の関係

図表 9-8 では、操業度に売上高をとっているので、操業度が 1 増えれば、収益も 1 増えます。したがって、売上高と操業度の関係は、角度が 45 度の直線（**売上高線（A）**）で示すことができます。

第1章
第2章
第3章
第4章
第5章
第6章
第7章
第8章
第9章
第10章

155

②操業度と費用の関係

　損益分岐点分析では、企業の活動による費用を、損益計算書の項目にかかわらず、固定費と変動費の２つに分類します。

　　　・**固定費**……操業度の変動にかかわらず一定額が発生する費用
　　　・**変動費**……操業度に応じて比例的に発生する費用

　操業度と費用の関係は、**図表 9-8** の**総費用線（B）**のように示されます。

③損益分岐点

　図表 9-8 の**売上高線（A）**と**総費用線（B）**が交差する操業度が、損益分岐点です。交差するときには、収益（売上）＝費用（固定費＋変動費）となっています。損益分岐点より低い操業度（**α**）では損失（収益＜費用）となっており、損益分岐点より高い操業度（**β**）では利益（収益＞費用）となっています。

図表 9-8　損益分岐図表の例

> ✏️ **検定対策**
> ▶ 検定試験２級では、損益分岐図表の項目についての空欄補充が問われることも考えられます。損益分岐図表の構造を理解しておきましょう。

12 損益分岐点分析② 損益分岐点売上高の計算

Point

- 損益分岐点売上高は、固定費÷限界利益率により求めることができる。
- 限界利益とは、変動費をカバーしたあとの利益であり、固定費は限界利益によってまかなわれる。

1. 限界利益の考え方を理解しよう

①限界利益と限界利益率

　損益分岐点分析では、限界利益という考え方が用いられます。限界利益は、売上高から変動費を除いた金額です。限界利益率は、売上高に占める限界利益の割合をいいます。

　なお、売上高に対する変動費の割合を、**変動費率**といいます。

図表 9-9　変動費率の算出

$$限界利益 = 売上高 - 変動費$$

$$限界利益率 = \frac{限界利益}{売上高} \times 100 \ (\%)$$

$$= 100 - 変動費率 \ (\%)$$

$$変動費率 = \frac{変動費}{売上高} \times 100 \ (\%)$$

②限界利益と固定費の関係

　限界利益は、変動費を回収してなお得られる利益です。したがって、固定費は限界利益によってまかなわれていると考えることができます。

　図表 9-9 からは、利益がゼロとなるとき、限界利益=固定費であることがわかります。

2．損益分岐点売上高を計算しよう

①損益分岐点売上高の計算式

損益分岐点売上高は、固定費と限界利益率によって計算できます。

$$損益分岐点売上高 = \frac{固定費}{限界利益率}（円）$$

②損益分岐点売上高の計算の例

簡単な例で確認しましょう。

固定費 10,000 円、製品 1 個当たりの売上高 200 円・変動費 160 円であるとします。

1 個当たりの限界利益＝ 200 円－ 160 円＝ 40 円

限界利益率＝ 40 円÷ 200 円× 100 ＝ 20％

限界利益は、変動費をカバーした後の利益です。製品が 1 個売れるごとに、固定費が 40 円回収されていると考えることができます。また、売上高 1 円について 0.2 円（20％）の固定費が回収されていると考えることができます。

固定費＝限界利益となる時点が、損益分岐点です。

固定費（10,000 円）＝（損益分岐点での）限界利益

＝ 損益分岐点売上高×限界利益率（20％）

よって、損益分岐点売上高は、次の計算により得られます。

損益分岐点売上高 ＝ 10,000 円（固定費）÷ 20％（限界利益率）

＝ 50,000 円

図表 9-10　損益分岐点売上高の計算

13 損益分岐点分析③ 損益分岐点に関する指標

- 損益分岐点比率は、実際の売上高を100としたときの損益分岐点売上高の割合をいう。
- 経営安全率は、損益分岐点売上高を割り込むまでには、現在の売上高からどれだけ売上高が減少しても余裕があるかの割合をいう。
- 固定費と変動費の区分は、本来、損益計算書の表示項目にかかわらず、各費用の発生の態様により区分される（外部分析において、固定費と変動費を区分することはむずかしい）。

1．損益分岐点分析に関する指標を理解しよう

①損益分岐点比率

損益分岐点比率は、実際の売上高を100としたときの損益分岐点売上高の割合です。比率が低いほど、採算が良好な操業水準であることを意味します。

$$\text{損益分岐点比率} = \frac{\text{損益分岐点売上高}}{\text{売上高}} \times 100（\%）$$

②経営安全率

経営安全率は、損失となるまでに、現在の売上高からどれだけ減少しても余裕があるかを意味します。比率が高いほど、余裕があることを示します。**安全余裕度**ともいわれます。

$$\text{経営安全率} = \frac{\text{売上高} - \text{損益分岐点売上高}}{\text{売上高}} \times 100（\%）$$

$$= 100 - \text{損益分岐点比率（\%）}$$

2．固定費と変動費の区分について理解しよう

　公表される財務諸表では、費用について固定費と変動費という基準では区分されていません。このため、外部分析（対象会社の外部の者が行う分析）では、固定費と変動費を区分して把握することには限界があります。ただし、おおまかな区分として、商品売上原価と製造原価のうち、材料費と外注加工費を変動費とし、その他の経費を固定費としてみることが可能です。経常利益を基準に損益分岐点を考える場合には、**図表 9-11** のようになります。

図表 9-11　外部分析による固定費と変動費の区分

	①商業の場合	②製造業の場合
固定費	販売費及び一般管理費＋営業外費用－営業外収益	販売費及び一般管理費＋労務費＋（製造経費－外注加工費）＋営業外費用－営業外収益
変動費	売上原価	売上原価－労務費－（製造経費－外注加工費）

 検定対策

　▶ 実際の検定試験で、固定費・変動費の区分が問われる可能性は低いと考えられます。問題で与えられた条件に従って解答すればよいでしょう。

14 株価等の分析

Point

- 1株当たりの指標を用いることにより、時系列の比較や企業間での比較ができる。
- 株価と関連づけることで、投資判断における指標としても用いることができる。

1．株価等の分析の具体的指標を理解しよう

① 時価総額

資本市場からみたその企業の経済的価値を意味します。

時価総額 ＝ 1株当たり株価 × 発行済株式総数（円）

② 1株当たり当期純利益

EPS（Earnings Per Share）ともいわれます。

$$1株当たり当期純利益（EPS） = \frac{親会社株主に帰属する当期純利益}{発行済株式数（自己株式を除く）}（円）$$

③ 株価収益率

PER（Price Earnings Ratio）ともいわれます。1株当たり当期純利益（EPS）に対して株価が何倍となっているかを表します。したがって、EPS がマイナスの場合には計算されません。

$$株価収益率（PER） = \frac{1株当たり株価}{1株当たり当期純利益（EPS）}（倍）$$

④ 株式益回り

株価に対する1株当たり当期純利益の割合を示します。株価収益率（PER）の逆数を％で表したものです。

$$株式益回り = \frac{1株当たり当期純利益（EPS）}{1株当たり株価} × 100（\%）$$

161

⑤ 1株当たり純資産

BPS（Book-value Per Share）ともいわれます。会社が解散した場合、株主に割り当てられる金額であるため、解散価値とも呼ばれます。

$$\begin{matrix} \text{1株当たり純資産} \\ \text{(BPS)} \end{matrix} = \frac{\text{純資産（＝自己資本）}}{\text{発行済株式数（自己株式を除く）}} \text{（円）}$$

⑥ 株価純資産倍率

PBR（Price Book-value Ratio）ともいわれます。

1株当たり純資産（BPS）に対して株価が何倍となっているかを表します。したがって、BPSがマイナスの場合には計算されません。

$$\begin{matrix} \text{株価純資産倍率} \\ \text{(PBR)} \end{matrix} = \frac{\text{1株当たり株価}}{\text{1株当たり純資産（BPS）}} \text{（倍）}$$

⑦ 配当利回り

株価に対する配当の利回りを表します。

$$\text{配当利回り} = \frac{\text{1株当たり配当額}}{\text{1株当たり株価}} \times 100 \text{（％）}$$

⑧ 1株当たりキャッシュ・フロー

CFPS（Cash Flow Per Share）ともいわれます。利益とキャッシュ・フローの期間的な差異を除いた実際の資金収支を表します。

$$\begin{matrix} \text{1株当たり} \\ \text{キャッシュ・フロー} \\ \text{(CFPS)} \end{matrix} = \frac{\text{営業活動によるキャッシュ・フロー}}{\text{発行済株式数（自己株式を除く）}} \text{（円）}$$

⑨ 株価キャッシュ・フロー倍率

PCFR（Price Cash Flow Ratio）ともいわれます。

$$株価キャッシュ・フロー倍率 \atop (PCFR) = \frac{1株当たり株価}{1株当たりキャッシュ・フロー（CFPS）}（倍）$$

⑩ 1 株当たり配当額

　厳密には、自己株式には配当が行われないことなどを考慮する必要があります。しかし、ここでは、簡便に把握する計算を紹介しています。

$$1株当たり配当額 = \frac{配当金総額}{発行済株式数（自己株式を除く）}（円）$$

⑪ 配当性向

　親会社株主に帰属する当期純利益のうちどれだけ配当にあてられたかを示します。

$$配当性向 = \frac{配当金総額}{親会社株主に帰属する当期純利益} \times 100（\%）$$

$$= \frac{1株当たり配当額}{1株当たり当期純利益（EPS）} \times 100（\%）$$

⑫ 株主資本配当率

　DOE（Dividend on equity ratio）ともいわれます。株主の持分である純資産に対して、企業がどの程度、利益配分をしているかを表します。

$$株主資本配当率 = \frac{配当金総額}{純資産（＝自己資本）} \times 100（\%）$$

$$= \frac{1株当たり配当額}{1株当たり純資産（BPS）} \times 100（\%）$$

⑬ 株主総利回り

TSR（Total Shareholder Return）ともいわれます。基準日（購入日）から計算日までの株価の上昇額（キャピタルゲイン）と、配当の累計額（インカムゲイン）の総計を、基準日の株価で割って算出します。

$$\text{株主総利回り} \atop (\text{TSR}) = \frac{\substack{\text{当事業年度末日の株価} \;\; + \\ \text{分析対象第 1 年度から当事業年度までの} \\ \text{1 株当たり配当額の累計額}}}{\text{分析対象第 1 年度の前年度末日の株価}} \times 100\,(\%)$$

◎財務諸表の注記としての「1 株当たり情報」

　1 株当たり当期純利益や 1 株当たり純資産は、財務諸表の注記項目の 1 つとして記載されることになっています。

　財務諸表に注記される 1 株当たり情報については、本項で示した計算とは異なり、別途詳細なルールが定められています（ただし、外部分析においては、そこまで詳細な計算を行うことはできません）。

◎株主総利回りの見方

　たとえば、X1 年末の株価 1,000 円、X6 年末の株価 1,400 円、X2 ～ X6 年の配当額の累計額 300 円とします。この場合、株主総利回り（TSR）は（1,400 円＋ 300 円）÷ 1,000 円× 100 ＝ 170％となります。

　TSR が 100％の場合は、リターンが 0 であったことを表します。また、100％超の場合はプラス（ゲイン）、100％未満の場合はマイナス（ロス）を表します。TSR がマイナスになることはありません。なお、有価証券報告書では、5 年を計算期間とする TSR の開示が求められています。

📝 検定対策

- ▶ 総合問題のなかで、1 株当たり分析の指標について計算が求められることが考えられます。分母・分子について、どの財務諸表の数値であるかを理解しておきましょう。

- ▶ 指標の意味について、「○○は、○％以下にはならない」「○○は、高いほうが良好である」といった文章の正誤を問う問題も考えられます。

15 1人当たり分析

Point

- 従業員1人当たり総資産を、資本集約率という。
- 従業員1人当たり有形固定資産を、労働装備率という。

1．1人当たり分析に関する主な指標を理解しよう

　1人当たり分析は、財務諸表のさまざまな項目を従業員1人当たりでみる分析です。時系列での比較や、企業間での比較が行われることもあります。たとえば、**図表 9-12** のような指標があります。

図表 9-12　1人当たり分析に関する主な指標

区分	指標	備考
損益計算書の項目に関するもの	従業員1人当たり売上高	―
	従業員1人当たり営業利益	―
	従業員1人当たり経常利益	―
貸借対照表の項目に関するもの	従業員1人当たり総資産	**資本集約率**ともいわれる。
	従業員1人当たり有形固定資産	**労働装備率**ともいわれる。
その他の項目	従業員1人当たり人件費	財務諸表から直接把握することはできないが、有価証券報告書(P.18 参照)には、従業員1人当たりの年間平均給与が記載されている。

第1章
第2章
第3章
第4章
第5章
第6章
第7章
第8章
第9章
第10章

◎イメージで覚える公式

　検定試験の最終目標は合格することですね。合格することで、就職や転職、また、転属に有利になります。実務についた後は、Google 検索や ChatGPT など、あらゆるツールを駆使して検定試験で得た知識を活かすことが大事です。公式を覚えることは主目的ではありません。

　そこで、著者がビジネス会計検定試験や中小企業診断士などの学習で意識した覚え方を記します。参考にしてください。

①貸借対照表の比率は、比率の前の名前が分子に来る

　　例：固定比率（固定資産が分子）、負債比率（負債が分子）、自己資本比率（自己資本が分子）

②損益計算書と貸借対照表を左から並べた場合、ほとんどの比率は分母が右側に来る

　　例：流動比率（流動負債が分母）、総資本回転率（総資本が分母）、売上債権回転率（売上債権が分母）

　①②のいずれの場合も例外もあります。例外だけ覚えて、あとは①②の原則で考えましょう。

③語呂合わせを活用する

　　例：経営資本は特権ひく

　　　　経営資本＝総資産－（投資その他の資産＋繰延資産＋建設仮勘定）
　　　　　　　　　は　　 ひくと　　　　　　　　 く　　　　　 権

　意味のない語呂合わせに感じるかもしれませんが、覚えにくいものは検定試験の 30 分前に唱えるだけで対策ができます。ご自身でも、語呂合わせをいろいろ考えてみましょう。

✒️検定対策

▶ 検定試験２級では、総合問題のなかで１人当たり分析の指標について計算が求められることが考えられます。資料のなかから必要なデータを見つけ出せるかがポイントです。

▶ なお、計算そのものは複雑ではありませんが、資本集約率・労働装備率などで問われることもありますので、名称も押さえておきましょう。

▶ 総合問題のなかで、計算が求められる場合には、具体的に指示がないかぎり、財務諸表での注記における計算式ではなく、本項に示した計算式で解答して差し支えないでしょう。

理解度チェックと解答・解説
理解度チェック

次の記述のうち、適切と思われるものは○に、不適切と思われるものは×に、それぞれ丸を付けなさい。

1. 当座比率は、企業の短期の債務支払能力を判断する指標であり、その値が小さいほうが望ましい。　　　　　　　　　　（○　×）

2. 当座資産には、現金預金、受取手形、売掛金、棚卸資産などの項目が含まれる。　　　　　　　　　　　　　　　　　　（○　×）

3. 現金及び預金は600百万円、売掛金は400百万円、流動資産に含まれる有価証券は1,000百万円、年間売上高は48,000百万円、総資産額は60,000百万円である。このとき、手元流動性は1,600百万円、手元流動性比率は0.4である。　　　　　　　　　　　　　（○　×）

4. 棚卸資産があるとき、流動比率は当座比率より大きい。　（○　×）

5. 固定比率は、純資産と負債のバランスに注目した指標である。
　　　　　　　　　　　　　　　　　　　　　　　　　　　（○　×）

6. 固定比率は長期の安全性を把握する指標で、その値は小さいほうが良好である。　　　　　　　　　　　　　　　　　　（○　×）

7. 流動資産が300百万円、資産総額が600百万円、負債総額が500百万円で、繰延資産はなかった。このとき、固定比率は300%である。
　　　　　　　　　　　　　　　　　　　　　　　　　　　（○　×）

8. 固定負債があるとき、固定長期適合率は固定比率より大きい。
　　　　　　　　　　　　　　　　　　　　　　　　　　　（○　×）

9. 繰延資産がない場合、流動比率が60%であるなら、固定長期適合率が90%となることはない。　　　　　　　　　　　　　（○　×）

10. 資産総額が3,000百万円、純資産が1,000百万円、流動負債が800百万円のとき、負債比率は100%である。　　　　　　　（○　×）

11. 資本利益率は、売上高利益率と資本回転率の積に等しい。
　　　　　　　　　　　　　　　　　　　　　　　　　　　（○　×）

12. 年間売上高が150百万円、棚卸資産が50百万円のとき、棚卸資産回転率は20回である。　　　　　　　　　　　　　　　（O　×）

13. A社、B社の売上債権回転期間はそれぞれ125日、96日であった。A社の売上債権回転期間はB社よりも長いため、A社のほうが売上債権の管理がより効率的であることがわかる。　　　　　（O　×）

14. A社、B社の棚卸資産回転率はそれぞれ12回、7回であった。A社の棚卸資産回転率はB社よりも高いため、A社のほうが棚卸資産の運用効率が良好であると判断される。　　　　　　　（O　×）

15. 売上高利益率は、利益の何倍の売上高を達成しているかを示す指標である。　　　　　　　　　　　　　　　　　　　　　（O　×）

16. 総資産額が200,000百万円、純資産額が100,000百万円、税金等調整前当期純利益が5,500百万円、親会社株主に帰属する当期純利益が3,700百万円のとき、ROEは1.85%である。　　　　（O　×）

17. 資産合計が100,000百万円、投資その他の資産が20,000百万円、建設仮勘定が5,000百万円、繰延資産が800百万円のとき、経営資本は74,200百万円である。　　　　　　　　　　　　　　（O　×）

18. 営業キャッシュ・フロー・マージンが8%、売上原価350百万円、販売費及び一般管理費100百万円、営業利益50百万円のとき、営業キャッシュ・フローは40百万円である。　　　　　　　　　（O　×）

19. 売上高が20,000百万円、営業利益が5,000百万円、営業キャッシュ・フロー・マージンが5%、自己資本営業キャッシュ・フロー比率が20%のとき、自己資本は5,000百万円である。　　　（O　×）

20. 当期純利益に関する連単倍率が1を上回っている場合、当該企業集団の子会社が連結当期純利益の計上に貢献していることを意味する。　　　　　　　　　　　　　　　　　　　　　（O　×）

21. 連単倍率は0.5を下回ることはない。　　　　　　　　（O　×）

22. 親会社の個別財務諸表の売上高が1,000百万円、連単倍率が0.8のとき、連結財務諸表の売上高は1,250百万円である。　（O　×）

23. 債務超過とは、負債の額が純資産の額を上回ることをいう。

(**O** ✕)

24. 損益分岐点とは、収益と費用の金額が一致する売上高あるいは操業度をいう。 (**O** ✕)

25. 損益分岐点分析では、操業度が1単位増減するにつれて増減する利益を限界利益という。固定費と限界利益が一致する売上高が損益分岐点売上高である。 (**O** ✕)

26. 売上高が2,500万円（販売数量10,000単位、販売単価2,500円）、固定費は400万円、販売数量1単位当たりの変動費は2,000円であった。このとき、経営安全率は20%である。 (**O** ✕)

27. A社の純資産額は1,000,000千円、発行済株式数は1,000千株、株価は1,500円／株、B社の純資産額は1,600,000千円、発行済株式数は800千株、株価は2,500円／株であった。このとき、A社のBPSはB社よりも大きいが、PBRはA社のほうが小さい。 (**O** ✕)

28. A社の純資産額は1,000,000千円、発行済株式数は1,000千株、株価は1,500円／株、B社の純資産額は1,600,000千円、発行済株式数は800千株、株価は2,500円／株であった。また、A社の親会社株主に帰属する当期純利益は100,000千円、1株当たり配当額は10円／株、B社の親会社株主に帰属する当期純利益は80,000千円、1株当たり配当額は20円／株であった。このとき、A社の時価総額はB社よりも小さいが、配当性向はA社のほうが大きい。 (**O** ✕)

29. 発行済株式数は2,000百万株、配当総額は20,000百万円、1株当たり株価は500円／株であり、自己株式はないとき、配当利回りは2.0%である。 (**O** ✕)

30. X1年度末を基準日としたときのA社の株価が3,000円、X2～X4年度の配当累計額を400円、X4年度末の株価が2,300円であったとした場合、X1～X4年度の3年間を計算期間とする株主総利回り（TSR）は△10%である。 (**O** ✕)

解答・解説

番号	解答	解　説
1	×	流動負債に対して、当座資産がどれだけあるかを示す指標であるため、比率は大きいほうが望ましいです。
2	×	当座資産には、現金預金、売上債権（受取手形＋売掛金）、売買目的の有価証券が含まれ、棚卸資産は含まれません。
3	○	手元流動性は、現金預金＋売買目的有価証券で求められます。設問では、特に指示がありませんので、流動資産に含まれる有価証券を売買目的有価証券と考えて、そのまま手元流動性に含めて計算します。 手元流動性＝現金及び預金600百万円＋流動資産に含まれる有価証券1,000百万円＝1,600百万円 手元流動性比率＝手元流動性÷月売上高＝1,600百万円÷（年間売上高48,000百万円÷12）＝0.4か月
4	○	当座資産には棚卸資産を含まないため、流動資産のほうが当座資産より比率が大きくなります。
5	×	固定比率は、純資産と固定資産のバランスに注目した指標です。純資産と負債のバランスをみるのは、負債比率です。
6	○	固定比率は、純資産に対する固定資産の割合です。返済不要の資金である純資産（自己資本）に対して、資金の長期の運用である固定資産が、どれだけの割合となっているかをみるものです。値は小さいほど長期の安全性は良好です。
7	○	固定比率は、固定資産÷純資産×100 で求めます。 固定資産＝資産総額600百万円－流動資産300百万円 　　　　　－繰延資産 0 百万円 　　　　＝300百万円 純資産　＝資産総額600百万円－負債総額500百万円 　　　　＝100百万円 固定比率＝固定資産300百万円÷純資産100百万円×100 　　　　＝300％

解答・解説

番号	解答	解　説
8	×	固定比率＝固定資産÷純資産×100 固定長期適合率＝固定資産÷（純資産＋固定負債）×100 よって、固定負債が0でないかぎり、固定長期適合率は固定比率より<u>小さくなります</u>。
9	○	繰延資産がないことを前提とすると、流動比率が100%未満である場合、固定長期適合率は必ず100%超となります。貸借対照表の模式図で理解しましょう。

番号	解答	解　説
10	×	負債比率は、負債÷純資産×100 で求めます。 負債　＝資産総額3,000百万円－純資産1,000百万円 　　　＝2,000百万円 負債比率　＝負債2,000百万円÷純資産1,000百万円×100 　　　　　＝<u>200%</u>
11	○	資本利益率　＝（利益÷売上高×100）×（売上高÷投下資本） 　　　　　　＝売上高利益率×資本回転率 売上高利益率と資本回転率から資本利益率を計算させる問題にも、対応できるようにしましょう。
12	×	棚卸資産回転率は、売上高÷棚卸資産で求めます。 棚卸資産回転率　＝年間売上高150百万円÷棚卸資産50百万円 　　　　　　　　＝<u>3回</u>
13	×	回転期間が長いということは、資金として回収されるまでに長く時間を要していることを意味します。<u>売上債権の管理としては、効率的でない</u>といえます。

番号	解答	解　　説
14	**O**	資本回転率は、投下資本に対する売上高の割合であり、値が大きいほど、資本が効率的に運用されていることを意味します。
15	**×**	売上高利益率は、<u>売上高に対する利益の割合</u>を示します。
16	**×**	ROE（自己資本当期純利益率）は、親会社株主に帰属する当期純利益÷自己資本（純資産額）×100 で求めます。 ROE＝親会社株主に帰属する当期純利益3,700百万円÷純資産額100,000百万円×100 　　　＝<u>3.7%</u>
17	**O**	経営資本は、営業活動に直接投下されている資本です。 経営資本 　＝資産合計100,000百万円－（投資その他の資産20,000百万円＋建設仮勘定5,000百万円＋繰延資産800百万円） 　＝74,200百万円
18	**O**	営業キャッシュ・フローは、売上高×営業キャッシュ・フロー・マージンで求めます。 売上高 　＝営業利益50百万円＋販売費及び一般管理費100百万円＋売上原価350百万円 　＝500百万円 営業キャッシュ・フロー 　＝売上高500百万円×営業キャッシュ・フロー・マージン8％ 　＝40百万円
19	**O**	自己資本は、営業キャッシュ・フロー÷自己資本営業キャッシュ・フロー比率で求めます。 営業キャッシュ・フロー 　＝売上高20,000百万円×営業キャッシュ・フロー・マージン5％ 　＝1,000百万円 自己資本 　＝営業キャッシュ・フロー1,000百万円÷自己資本営業キャッシュ・フロー比率20％ 　＝5,000百万円

番号	解答	解　　説
20	**O**	赤字の連結子会社がある場合には、当期純利益の連単倍率は1倍を下回ることがあります。
21	**×**	売上高や総資産については、子会社の分だけプラスされるので、連単倍率は必ず1倍以上となります。<u>当期純利益や純資産については、子会社の金額がマイナスとなる可能性がある</u>ため、連単倍率は1倍を下回る可能性があります。子会社の状況によっては、<u>0.5倍を下回ることもあります。</u>
22	**×**	連結売上高は、親会社の個別財務諸表の売上高×連単倍率で求めます。 連結売上高 ＝ 売上高1,000百万円×連単倍率0.8 　　　　　　＝800百万円
23	**×**	債務超過は、負債の額が<u>総資産</u>の額を上回る状態をいいます。このとき、純資産はマイナスとなります。
24	**O**	損益分岐点は、BEP（Break Even Point）ともいいます。
25	**O**	限界利益は、売上高－変動費です。変動費率が一定であることを前提とすると、操業度が1増加するにつれて限界利益分だけ利益は増加します。また、損益分岐点では利益がゼロであるため、限界利益（の累計）は固定費と一致します。
26	**O**	経営安全率は、（売上高－損益分岐点売上高）÷売上高×100で求めます。損益分岐点売上高は、限界利益率から求めます。 限界利益率 　＝（販売単価2,500円－販売数量1単位当たりの変動費2,000円）÷販売単価2,500円×100 　＝20% 損益分岐点売上高 　＝固定費400万円÷限界利益率20% 　＝2,000万円 以上より、経営安全率が求められます。 経営安全率 　＝（売上高2,500万円－損益分岐点売上高2,000万円）÷売上高2,500万円×100 　＝20%

番号	解答	解　　説
27	×	BPS（1 株当たり純資産） 　A 社：1,000,000千円÷1,000千株＝1,000円／株 　B 社：1,600,000千円÷800千株＝2,000円／株 PBR（株価純資産倍率）＝1 株当たり株価÷BPS 　A 社：1,500円／株÷1,000円／株＝1.5倍 　B 社：2,500円／株÷2,000円／株＝1.25倍 よって、A 社の BPS は B 社より<u>小さく</u>、PBR は A 社のほうが<u>大きく</u>なります。
28	×	時価総額＝1 株当たり株価×発行済株式数 　A 社：1,500円／株×1,000千株＝1,500,000千円 　B 社：2,500円／株×800千株＝2,000,000千円 配当性向＝配当総額÷当期純利益×100 　A 社：（10円／株×1,000千株）÷100,000千円×100＝10% 　B 社：（20円／株×800千株）÷80,000千円×100＝20% よって、時価総額は A 社のほうが小さく、配当性向も<u>A 社のほうが小さく</u>なります。 なお、配当性向は、1 株当たり配当額÷1 株当たり当期純利益×100 としても求めることができます。
29	O	配当利回りは、1 株当たり配当額÷1 株当たり株価×100 で求めます。 1 株当たり配当額 　＝配当総額20,000百万円÷発行済株式数2,000百万株 　＝10円／株 配当利回り 　＝1 株当たり配当額10円／株÷1 株当たり株価500円×100 　＝2.0%%
30	×	株主総利回り（TSR）は、（当事業年度末日の株価＋分析対象第1年度から当事業年度までの 1株当たり配当額の累計額）÷分析対象第1年度の前年度末日の株価×100 で求めます。 TSR ＝（X4年度末日の株価2,300円＋X2年度からX4年度までの 1株当たり配当額の累計額400円）÷X1年度末日の株価3,000円×100＝<u>90%</u> なお、TSR がマイナスになることはありません。

第10章

ビジネス会計検定試験２級
模擬問題と解答・解説

模擬問題①

I 次の【問1】～【問9】の設問に答えなさい。

【問1】 次の文章について、正誤の組み合わせとして正しいものを選びなさい。

(ア)会社法による計算書類では、キャッシュ・フロー計算書は作成されない。
(イ)会社法では、企業集団を対象とした連結計算書類は作成されない。

① （ア）正　　（イ）正　　　② （ア）正　　　（イ）誤
③ （ア）誤　　（イ）正　　　④ （ア）誤　　　（イ）誤

解答欄

【問2】 次の文章について、正誤の組み合わせとして正しいものを選びなさい。

(ア)売買目的有価証券の貸借対照表価額は、期末の時価である。
(イ)その他有価証券の貸借対照表価額は、市場価格の有無にかかわらず、取得原価である。

① （ア）正　　（イ）正　　　② （ア）正　　　（イ）誤
③ （ア）誤　　（イ）正　　　④ （ア）誤　　　（イ）誤

解答欄

【問3】 次の文章について、正誤の組み合わせとして正しいものを選びなさい。

(ア)自己株式は、実質的な株主資本の払戻しとしての性格を持つが、貸借対照表では、投資その他の資産の区分に表示される。
(イ)自己株式のことを、金庫株ということもある。

① （ア）正　　（イ）正　　　② （ア）正　　　（イ）誤
③ （ア）誤　　（イ）正　　　④ （ア）誤　　　（イ）誤

解答欄

【問4】 次の文章について、正誤の組み合わせとして正しいものを選びなさい。

> （ア）製造原価明細書では、当期総製造費用の内訳について、材料費、労務費、経費などに区分して表示される。
> （イ）製造原価明細書の最終行では、当期製品製造原価が示される。

① （ア）正　　（イ）正　　② （ア）正　　（イ）誤
③ （ア）誤　　（イ）正　　④ （ア）誤　　（イ）誤

解答欄

【問5】 次の文章について、正誤の組み合わせとして正しいものを選びなさい。

> （ア）持分法とは、被投資会社の純資産および損益のうち、投資会社に帰属する部分の変動に応じて投資額を毎期修正する方法をいう。
> （イ）非支配株主に帰属する利益とは、親会社以外の株主が存在する場合に、子会社の利益のうち、親会社以外の株主に帰属する部分をいう。

① （ア）正　　（イ）正　　② （ア）正　　（イ）誤
③ （ア）誤　　（イ）正　　④ （ア）誤　　（イ）誤

解答欄

【問6】 次の文章について、正誤の組み合わせとして正しいものを選びなさい。

> （ア）連結損益計算書の売上高には、子会社の売上高のうち親会社の持分に対応する部分を按分して集計される。
> （イ）連結損益計算書の売上高には、関連会社の売上高は含まれない。

① （ア）正　　（イ）正　　② （ア）正　　（イ）誤
③ （ア）誤　　（イ）正　　④ （ア）誤　　（イ）誤

解答欄

【問7】　次の文章について、正誤の組み合わせとして正しいものを選びなさい。

(ア)キャッシュ・フロー計算書を直接法で作成した場合と、間接法で作成した場合では、小計以下の項目は一致しない。
(イ)営業活動によるキャッシュ・フローを間接法により表示する場合、非支配株主に帰属する利益は税金等調整前当期純利益に加算して調整される。

① (ア)正　　(イ)正　　　② (ア)正　　(イ)誤
③ (ア)誤　　(イ)正　　　④ (ア)誤　　(イ)誤

解答欄

【問8】　次の文章について、正誤の組み合わせとして正しいものを選びなさい。

(ア)仕入債務の支払いを行うと、仕入債務は減少するので、仕入債務の減少は営業キャッシュ・フローの減少をもたらす。
(イ)貸倒引当金を増加させても、キャッシュ・フローをともなわないので、営業キャッシュ・フローの金額には影響がない。

① (ア)正　　(イ)正　　　② (ア)正　　(イ)誤
③ (ア)誤　　(イ)正　　　④ (ア)誤　　(イ)誤

解答欄

【問9】　次の文章について、正誤の組み合わせとして正しいものを選びなさい。

(ア)長期的な財務の健全性の観点からは、負債比率は値が低いほど望ましい。
(イ)負債比率が高くなるほど、自己資本比率は低くなる。

① (ア)正　　(イ)正　　　② (ア)正　　(イ)誤
③ (ア)誤　　(イ)正　　　④ (ア)誤　　(イ)誤

解答欄

Ⅱ 次の【問1】～【問11】の設問に答えなさい。

【問1】 次の文章の空欄(ア)と(イ)に当てはまる語句の適切な組み合わせを選びなさい。

> 会計情報の利害調整機能とは、会計情報によって、ステークホルダー間の利害対立が解消されることである。利害調整機能は、(ア)機能ともいわれる。また、(イ)機能は、会計情報が、投資者の投資判断にとって役立つ情報を提供することである。(イ)機能は、投資判断情報提供機能ともいわれる。

① (ア)成果配分支援　(イ)経営決定支援
② (ア)意思決定支援　(イ)成果配分支援
③ (ア)成果配分支援　(イ)意思決定支援
④ (ア)意思決定支援　(イ)経営決定支援

解答欄

【問2】 次の文章の空欄(ア)と(イ)に当てはまる語句の適切な組み合わせを選びなさい。

> 企業集団において、他の会社を支配している会社を親会社といい、親会社によって支配されている会社を(ア)という。また、親会社および(ア)が、出資、人事、資金、技術、取引などの関係を通じて他の会社に重要な影響を与えることができる場合、当該他の会社を(イ)という。

① (ア)非連結子会社　(イ)関連会社
② (ア)子会社　(イ)関連会社
③ (ア)子会社　(イ)持分法適用会社
④ (ア)子会社　(イ)非連結子会社

解答欄

【問３】　次の文章の空欄（ア）と（イ）に当てはまる語句の適切な組み合わせを選びなさい。

　（ア）法とは、金融資産または金融負債を債権額または債務額と異なる金額で計上した場合に、当該差額に相当する金額を、弁済期または償還期に至るまで毎期一定の方法で（イ）に加減する方法をいう。

① （ア）割引現在価値　（イ）正味売却価額
② （ア）割引現在価値　（イ）将来キャッシュ・フロー
③ （ア）償却原価　　　（イ）債権額または債務額
④ （ア）償却原価　　　（イ）取得原価

解答欄

【問４】　次の文章の空欄（ア）と（イ）に当てはまる語句の適切な組み合わせを選びなさい。

　連結株主資本等変動計算書は、連結貸借対照表の（ア）の一会計期間における変動額を報告する計算書である。（ア）は、株主資本、その他の包括利益累計額、（イ）、新株予約権、非支配株主持分から構成されている。

① （ア）純資産の部　（イ）株式引受権
② （ア）純資産の部　（イ）自己株式
③ （ア）総資産の部　（イ）株式引受権
④ （ア）総資産の部　（イ）自己株式

解答欄

【問５】　次の項目のうち、キャッシュ・フロー計算書における現金及び現金同等物に含まれない項目の個数を選びなさい。

ア．当座預金
イ．預入日から満期日までの期間が３か月の定期預金
ウ．市場性のある株式
エ．通知預金
オ．当座借越

① なし　　② １つ　　③ ２つ　　④ ３つ　　⑤ ４つ

解答欄

【問6】 連結キャッシュ・フロー計算書の営業活動によるキャッシュ・フローの表示方法として間接法を採用した場合、次の項目のうち税金等調整前当期純利益に加算する項目の個数を選びなさい。ただし、営業活動によるキャッシュ・フローの区分に表示されるものに限るものとする。

ア. 負ののれん発生益
イ. 賞与引当金の増加額
ウ. 売上債権の増加額
エ. 有形固定資産売却益
オ. 仕入債務の増加額
カ. 減損損失

① 1つ ② 2つ ③ 3つ ④ 4つ ⑤ 5つ

解答欄

【問7】 次の資料から売上原価を計算し、正しい数値を選びなさい。

当期製品製造原価 5,400	当期総製造費用 5,500
期首仕掛品棚卸高 100	期末仕掛品棚卸高 200
期首製品棚卸高 400	期末製品棚卸高 600

① 5,200 ② 5,300 ③ 5,500 ④ 5,600 ⑤ 5,700

解答欄

【問8】 次の資料から負債に該当する項目の合計額を計算し、正しい数値を選びなさい。

| 社債発行費 20 | 非支配株主持分 120 | 電子記録債務 60 |
| 契約負債 40 | コマーシャル・ペーパー 160 | 繰延税金資産 80 |

① 80 ② 200 ③ 220 ④ 260 ⑤ 340

解答欄

【問9】 次の資料から株主資本に該当する項目の合計額を計算し、正しい数値を選びなさい。

新株予約権 30	為替換算調整勘定 10	資本金 100
資本剰余金 60	その他有価証券評価差額金 40	
自己株式 20	利益剰余金 50	

① 190　　② 200　　③ 210　　④ 220　　⑤ 230

解答欄

【問10】 次の資料から親会社株主に帰属する当期純利益を計算し、正しい数値を選びなさい。なお、法人税等調整額の△は法人税、住民税及び事業税に対してマイナスであることを意味する。

税金等調整前当期純利益 4,000	持分法による投資利益 100
非支配株主に帰属する当期純利益 200	法人税、住民税及び事業税 1,800
法人税等調整額 △300	のれん償却額 400

① 2,000　　② 2,300　　③ 2,400　　④ 2,700　　⑤ 2,800

解答欄

【問11】 次の表示区分と表示項目の組み合わせのうち、正しくないものを選びなさい。

	表示区分		表示項目
①	営業外収益	——	仕入割引
②	営業外費用	——	手形売却損
③	営業外収益	——	非支配株主に帰属する当期純利益
④	営業外収益	——	持分法による投資利益
⑤	営業外費用	——	コマーシャル・ペーパー利息

解答欄

模擬問題①

第1章
第2章
第3章
第4章
第5章
第6章
第7章
第8章
第9章
第10章

Ⅲ

　A社とB社に関する〈資料１〉から〈資料６〉により、【問１】から【問15】の設問に答えなさい。資料の会計期間は、両社とも「Ｘ３年度：Ｘ３年４月１日〜Ｘ４年３月31日」である。分析にあたって、連結貸借対照表数値、発行済株式数および株価は期末の数値を用いることとし、純資産を自己資本とみなす。△はマイナスを意味する。なお、計算にあたって端数が出る場合は、特別な指示がないかぎり、小数点以下第２位を四捨五入するものとする。

〈資料１〉連結貸借対照表　　　　　　　　　　　　　（単位：百万円）

	A社	B社
資産の部		
流動資産		
現金及び預金	43,000	105,000
受取手形及び売掛金	120,000	133,000
有価証券	0	900
棚卸資産	11,200	26,000
その他	61,000	25,500
貸倒引当金	△850	△4,300
流動資産合計	234,350	286,100
固定資産		
有形固定資産		
建物及び構築物	57,000	149,000
機械装置及び運搬具	1,530,000	0
土地	252,000	530,000
建設仮勘定	155,000	9,000
その他	30,700	16,000
有形固定資産合計	2,024,700	704,000
無形固定資産		
ソフトウェア	0	17,000
のれん	7,300	10,000
その他	28,000	24,000
無形固定資産合計	35,300	51,000
投資その他の資産		
投資有価証券	340,000	121,000
繰延税金資産	7,100	4,300
退職給付に係る資産	18,500	3,500
その他	52,000	6,000
貸倒引当金	△250	△200
投資その他の資産合計	417,350	134,600
固定資産合計	2,477,350	889,600
資産合計	2,711,700	1,175,700

〈資料 1〉連結貸借対照表（続き）　　　　　　　　　　　　（単位：百万円）

	A 社	B 社
負債の部		
流動負債		
支払手形及び買掛金	42,000	105,000
短期借入金	187,000	26,000
1 年以内償還予定の社債	30,000	10,000
契約負債	40,000	100,000
賞与引当金	4,300	10,000
未払法人税等	10,000	5,000
その他	187,000	133,460
流動負債合計	500,300	389,460
固定負債		
社債	230,000	20,000
長期借入金	634,000	68,000
繰延税金負債	181,000	118,000
退職給付に係る負債	62,000	33,000
その他	130,000	18,000
固定負債合計	1,237,000	257,000
負債合計	1,737,300	646,460
純資産の部		
株主資本		
資本金	99,000	51,000
資本剰余金	147,000	323,000
利益剰余金	680,000	162,000
自己株式	△48,000	△18,000
株主資本合計	878,000	518,000
その他の包括利益累計額		
その他有価証券評価差額金	21,000	5,500
退職給付に係る調整累計額	1,400	240
その他の包括利益累計額合計	22,400	5,740
非支配株主持分	74,000	5,500
純資産合計	974,400	529,240
負債純資産合計	2,711,700	1,175,700

〈資料2〉連結損益計算書　　　　　　　　　　　　　（単位：百万円）

	A社	B社
売上高	968,000	487,000
売上原価	850,000	200,100
売上総利益	118,000	286,900
販売費及び一般管理費	30,000	256,000
営業利益	88,000	30,900
営業外収益		
受取利息	300	370
受取配当金	1,000	600
持分法による投資利益	8,300	1,800
その他	2,500	1,700
営業外収益合計	12,100	4,470
営業外費用		
支払利息	8,700	780
固定資産除却損	1,700	1,200
その他	2,500	1,900
営業外費用合計	12,900	3,880
経常利益	87,200	31,490
特別利益		
固定資産売却益	1,400	0
投資有価証券売却益	1,900	0
その他	100	3,800
特別利益合計	3,400	3,800
特別損失		
固定資産処分損	5,000	0
減損損失	13,000	5,000
店舗閉鎖損失	0	500
その他	4,000	400
特別損失合計	22,000	5,900
税金等調整前当期純利益	68,600	29,390
法人税、住民税及び事業税	18,000	6,100
法人税等調整額	5,100	△10,000
法人税等合計	23,100	△3,900
当期純利益	45,500	33,290
非支配株主に帰属する当期純利益	4,600	△10
親会社株主に帰属する当期純利益	40,900	33,300

〈資料 3〉連結包括利益計算書　　　　　　　　　　　　　　（単位：百万円）

	A社	B社
（　　　　　　　　　）	（ア）	33,290
その他の包括利益	400	6,700
包括利益	45,900	39,990
（内訳）		
親会社に係る包括利益	43,000	39,000
非支配株主に係る包括利益	2,900	990

〈資料 4〉連結株主資本等変動計算書　（B社、株主資本のみを抜粋）

（単位：百万円）

	株主資本				
	資本金	資本剰余金	利益剰余金	自己株式	株主資本合計
当期首残高	51,000	323,000	132,900	（イ）	488,910
当期変動額					
剰余金の配当			△4,200		△4,200
親会社株式に帰属 　する当期純利益			33,300		33,300
自己株式の取得				△10	△10
当期変動額合計			29,100	△10	29,090
当期末残高	51,000	323,000	162,000	△18,000	518,000

〈資料5〉連結キャッシュ・フロー計算書　　　　　（単位：百万円）

	A社	B社
営業活動によるキャッシュ・フロー		
税金等調整前当期純利益	68,600	29,390
減価償却費	62,200	25,000
減損損失	13,000	5,000
のれん償却額	2,300	650
貸倒引当金の増減額	40	30
退職給付に係る負債の増減額	△2,100	560
持分法による投資損益	（ウ）	△1,800
受取利息及び受取配当金	△1,300	△970
支払利息	8,700	780
固定資産売却損益	△1,400	0
固定資産処分損益	5,000	0
投資有価証券売却損益	△1,900	0
売上債権の増減額	△25,000	△24,700
棚卸資産の増減額	△5,000	△4,500
仕入債務の増減額	△8,340	2,350
その他	4,100	△3,200
小計	110,600	28,590
利息及び配当金の受取額	3,100	4,000
利息の支払額	△8,500	△780
法人税等の支払額	△2,300	△3,100
営業活動によるキャッシュ・フロー	102,900	28,710
投資活動によるキャッシュ・フロー		
有形固定資産の取得による支出	△74,800	△24,000
有形固定資産の売却による収入	330	70
投資有価証券の取得による支出	△22,000	△700
投資有価証券の売却による収入	4,800	3,600
その他	2,120	6,200
投資活動によるキャッシュ・フロー	△89,550	△14,830

〈資料5〉連結キャッシュ・フロー計算書（続き）　　　　　（単位：百万円）

	A社	B社
財務活動によるキャッシュ・フロー		
短期借入金の純増減額	△15,000	△70
長期借入れによる収入	30,500	5,800
長期借入金の返済による支出	△45,000	△5,800
社債の償還による支出	△10,000	△10,000
配当金の支払額	△12,000	△4,200
自己株式の取得による支出	△50	△10
その他	△4,600	△1,500
財務活動によるキャッシュ・フロー	△56,150	△15,780
現金及び現金同等物の増減額	△42,800	△1,900
現金及び現金同等物の期首残高	84,000	85,000
現金及び現金同等物の期末残高	41,200	83,100

〈資料6〉連結キャッシュ・フロー計算書関係
※現金及び現金同等物の期末残高と連結貸借対照表に記載されている科目
　の金額との関係　　　　　　　　　　　　　　　　　　　（単位：百万円）

	A社	B社
現金及び預金勘定	43,000	（　　）
預入期間が3か月を超える定期預金	△1,800	（エ）
現金及び現金同等物	41,200	83,100

〈分析にあたっての留意事項〉
①剰余金の配当をする場合に、会社法に規定する額を計上しなければ
　ならない準備金は考慮しない。
②期末の株価は、A社45,000円、B社12,000円である。
③期末の従業員数は、A社2,000人、B社600人である。
④期末の発行済株式数（自己株式を除く）は、A社20百万株、B社50
　百万株である。

【問1】　〈資料3〉の空欄（ア）に当てはまる数値を選びなさい。

①　29,390　　②　40,900　　③　87,200　　④　45,500　　⑤　68,600

解答欄 [　　　　　]

【問2】 〈資料4〉の空欄（イ）に当てはまる数値を選びなさい。

① △10　　② △17,990　　③ △18,000　　④ 10　　⑤ 18,000

解答欄

【問3】 〈資料5〉の空欄（ウ）に当てはまる数値を選びなさい。

① △8,300　　② △1,800　　③ 0　　④ 1,800　　⑤ 8,300

解答欄

【問4】 〈資料6〉の空欄（エ）に当てはまる数値を選びなさい。

① △23,900　　② △22,900　　③ △21,900　　④ 21,900　　⑤ 22,900

解答欄

【問5】 次の文章について、正誤の組み合わせとして正しいものを選びなさい。

(ア)固定比率からみると、A社のほうが長期資金の調達と運用のバランスはよいと判断できる。
(イ)A社の固定長期適合率は、168.1％である。

① （ア）正　（イ）正　　② （ア）正　（イ）誤
③ （ア）誤　（イ）正　　④ （ア）誤　（イ）誤

解答欄

【問6】 次の文章について、正誤の組み合わせとして正しいものを選びなさい。

(ア)正味運転資本は、固定負債＋純資産－固定資産－繰延資産で計算できる。
(イ)流動比率からみると、B社のほうが短期的な安全性は高いと判断できる。

① （ア）正　（イ）正　　② （ア）正　（イ）誤
③ （ア）誤　（イ）正　　④ （ア）誤　（イ）誤

解答欄

【問7】　次の文章について、正誤の組み合わせとして正しいものを選びなさい。

> （ア）A社の経営資本事業利益率は、4.6％である。
> （イ）経営資本事業利益率からみると、B社のほうが収益性は高いと判断できる。

　①　（ア）正　　　（イ）正　　　②　（ア）正　　　（イ）誤
　③　（ア）誤　　　（イ）正　　　④　（ア）誤　　　（イ）誤

解答欄

【問8】　次の文章の空欄（ア）と（イ）に当てはまる数値と語句の適切な組み合わせを選びなさい。なお、計算の際はその都度小数点以下第2位を四捨五入するものとする。

> 　A社の売上債権回転期間は（ア）日である。売上債権回転期間からみると、（イ）のほうが売上債権の貸倒れの可能性が低いと判断できる。

　①　（ア）45.1　　　（イ）A社
　②　（ア）45.1　　　（イ）B社
　③　（ア）8.1　　　（イ）A社
　④　（ア）8.1　　　（イ）B社

解答欄

【問9】　次の文章の空欄（ア）と（イ）に当てはまる語句の適切な組み合わせを選びなさい。

> 　ROEは、売上高当期純利益率×（ア）×財務レバレッジに分解することができる。財務レバレッジからみると、（イ）のほうが他人資本の活用度合いが大きいと判断できる。

　①　（ア）総資本回転率　　　（イ）A社
　②　（ア）総資本回転率　　　（イ）B社
　③　（ア）自己資本比率　　　（イ）A社
　④　（ア）自己資本比率　　　（イ）B社

解答欄

【問10】 次の文章について、正誤の組み合わせとして正しいものを選びなさい。

(ア)経営資本営業キャッシュ・フロー比率は、A社・B社とも10%以上である。
(イ)経営資本営業キャッシュ・フロー比率と経営資本営業利益率を比べた場合、A社のほうが資金の回収が順当であると判断できる。

① (ア)正 (イ)正 ② (ア)正 (イ)誤
③ (ア)誤 (イ)正 ④ (ア)誤 (イ)誤

解答欄

【問11】 次の文章について、正誤の組み合わせとして正しいものを選びなさい。なお、売上原価を変動費、販売費及び一般管理費を固定費として計算すること。

(ア)損益分岐点売上高のとき、固定費と限界利益は等しい。
(イ)損益分岐点比率は、B社のほうが高い。

① (ア)正 (イ)正 ② (ア)正 (イ)誤
③ (ア)誤 (イ)正 ④ (ア)誤 (イ)誤

解答欄

【問12】 次の文章について、正誤の組み合わせとして正しいものを選びなさい。なお、売上原価を変動費、販売費及び一般管理費を固定費として計算すること。

(ア)営業利益がプラスの場合、経営安全率+損益分岐点比率は100%を超える。
(イ)A社の固定費が15%増加すると、経営安全率の減少率は15%となる。

① (ア)正 (イ)正 ② (ア)正 (イ)誤
③ (ア)誤 (イ)正 ④ (ア)誤 (イ)誤

解答欄

【問13】 次の文章について、正誤の組み合わせとして正しいものを選びなさい。

(ア)PBRは、1 倍を下回ることはない。
(イ)PBRは、A社のほうが高い。

　① （ア）正　　（イ）正　　② （ア）正　　（イ）誤
　③ （ア）誤　　（イ）正　　④ （ア）誤　　（イ）誤

解答欄

【問14】 次の文章について、正誤の組み合わせとして正しいものを選びなさい。

(ア)PBRは、PER×ROEで計算される。
(イ)PERは、B社のほうが高い。

　① （ア）正　　（イ）正　　② （ア）正　　（イ）誤
　③ （ア）誤　　（イ）正　　④ （ア）誤　　（イ）誤

解答欄

【問15】 次の文章について、正誤の組み合わせとして正しいものを選びなさい。

(ア)資本集約率は、従業員 1 人当たりの有形固定資産の金額を示す。
(イ)B社の労働装備率は、1,173.3百万円である。

　① （ア）正　　（イ）正　　② （ア）正　　（イ）誤
　③ （ア）誤　　（イ）正　　④ （ア）誤　　（イ）誤

解答欄

第1章

第2章

第3章

第4章

第5章

第6章

第7章

第8章

第9章

第10章

Ⅳ

A社に関する〈資料１〉から〈資料４〉により、【問１】から【問15】の設問に答えなさい。分析にあたって、連結貸借対照表数値は期末の数値を用いることとし、純資産を自己資本とみなす。△はマイナスを意味する。なお、計算にあたって端数が出る場合は、選択肢に示されている数値の桁数に応じて四捨五入するものとする。

〈資料１〉連結貸借対照表　　　　　　　　　　　　　　　（単位：百万円）

	X1年度	X2年度
資産の部		
流動資産		
現金及び預金	1,420,000	1,670,000
受取手形及び売掛金	（ア）	420,000
有価証券	120,000	100,000
棚卸資産	250,000	280,000
未収利息	（　　　　）	72,000
その他	300,000	390,000
貸倒引当金	△7,800	△10,300
流動資産合計	2,513,200	2,921,700
固定資産		
有形固定資産		
建物及び構築物	1,500,000	1,600,000
土地	1,200,000	1,200,000
リース資産	7,000	5,200
その他	110,000	166,000
有形固定資産合計	2,817,000	2,971,200
無形固定資産		
のれん	1,700,000	1,900,000
ソフトウェア	200,000	265,000
その他	180,000	185,000
無形固定資産合計	2,080,000	2,350,000
投資その他の資産		
投資有価証券	220,000	240,300
長期貸付金	15,000	15,000
その他	157,800	104,700
貸倒引当金	△3,000	△2,900
投資その他の資産合計	389,800	357,100
固定資産合計	5,286,800	5,678,300
資産合計	7,800,000	8,600,000

〈資料1〉連結貸借対照表（続き）　　　　　　　　　　　　（単位：百万円）

	X1年度	X2年度
負債の部		
流動負債		
買掛金	300,000	350,000
短期借入金	140,000	145,000
リース債務	21,000	121,000
賞与引当金	14,000	14,800
未払法人税等	23,000	28,000
その他	280,000	290,000
流動負債合計	778,000	948,800
固定負債		
社債	1,600,000	1,400,000
長期借入金	995,000	940,000
退職給付に係る負債	13,000	14,000
リース債務	36,000	830,000
資産除去債務	130,000	155,000
その他	1,127,000	711,000
固定負債合計	3,901,000	4,050,000
負債合計	4,679,000	4,998,800
純資産の部		
株主資本		
資本金	50,000	50,000
資本剰余金	400,000	400,000
利益剰余金	2,300,000	2,500,000
自己株式	△10,000	△9,800
株主資本合計	2,740,000	2,940,200
その他の包括利益累計額	211,000	490,000
非支配株主持分	170,000	171,000
純資産合計	3,121,000	3,601,200
負債純資産合計	7,800,000	8,600,000

〈資料２〉連結損益計算書 　　　　　　　　　　　　　　　（単位：百万円）

	X1年度	X2年度
売上高	8,750,000	11,800,000
売上原価	7,500,000	10,000,000
売上総利益	1,250,000	1,800,000
販売費及び一般管理費	863,000	（イ）
営業利益	387,000	（　　　）
営業外収益		
受取利息	3,000	（　　　）
受取配当金	1,000	1,200
持分法による投資利益	2,600	（　　　）
その他	3,000	300
営業外収益合計	9,600	10,000
営業外費用		
支払利息	12,000	15,000
社債利息	17,000	20,000
その他	9,000	9,500
営業外費用合計	38,000	44,500
経常利益	358,600	465,500
特別利益		
固定資産売却益	6,500	9,000
投資有価証券売却益	3,000	300
その他	2,500	4,000
特別利益合計	12,000	13,300
特別損失		
固定資産廃棄損	14,000	14,500
減損損失	28,000	49,000
その他	24,000	18,000
特別損失合計	66,000	81,500
税金等調整前当期純利益	304,600	397,300
法人税、住民税及び事業税	66,000	70,000
法人税等調整額	21,000	38,000
法人税等合計	87,000	108,000
当期純利益	217,600	289,300
非支配株主に帰属する当期純利益	12,000	11,000
親会社株主に帰属する当期純利益	205,600	278,300

〈資料3〉連結キャッシュ・フロー計算書　　　　　　　　　（単位：百万円）

	X1年度	X2年度
営業活動によるキャッシュ・フロー		
（　　　　　　　　　）	（ウ）	397,300
減価償却費	290,000	370,000
減損損失	28,000	49,000
のれん償却額	70,000	（エ）
貸倒引当金の増減額	1,800	2,400
賞与引当金の増減額	600	800
退職給付に係る資産の増減額	1,100	1,000
固定資産売却益	△6,500	△9,000
投資有価証券売却益	△3,000	（オ）
固定資産廃棄損	14,000	14,500
受取利息及び受取配当金	△4,000	△7,200
支払利息及び社債利息	29,000	35,000
持分法による投資損益	△2,600	△2,500
売上債権の増減額	△88,000	△60,000
棚卸資産の増減額	△29,000	（カ）
仕入債務の増減額	60,000	50,000
その他	13,000	60,000
小計	679,000	984,000
利息及び配当金の受取額	4,000	6,200
利息の支払額	△20,000	△66,000
法人税等の支払額	△67,000	△65,000
営業活動によるキャッシュ・フロー	596,000	859,200
投資活動によるキャッシュ・フロー		
有価証券の売却による収入	0	20,000
有形固定資産の取得による支出	△330,000	△598,700
有形固定資産の売却による収入	140,000	20,000
無形固定資産の取得による支出	△85,000	0
投資有価証券の取得による支出	△25,000	△50,000
投資有価証券の売却による収入	100,000	30,000
その他	△15,000	△53,100
投資活動によるキャッシュ・フロー	△215,000	△631,800

〈資料３〉連結キャッシュ・フロー計算書（続き）　　　（単位：百万円）

	X1年度	X2年度
財務活動によるキャッシュ・フロー		
短期借入金の純増減額	3,000	5,000
長期借入れによる収入	800,000	205,000
長期借入金の返済による支出	△255,000	△260,000
その他	△15,000	△9,000
財務活動によるキャッシュ・フロー	533,000	△59,000
現金及び現金同等物の増減額	914,000	（キ）
現金及び現金同等物の期首残高	486,000	1,400,000
現金及び現金同等物の期末残高	1,400,000	1,568,400

〈資料４〉　報告セグメントごとの売上高、利益、資産、その他の項目の金額に関する情報

X1年度　　　　　　　　　　　　　　　　　　　　　　　　（単位：百万円）

	報告セグメント				調整額	連結財務諸表計上額
	X事業部	Y事業部	Z事業部	計		
売上高						
外部顧客への売上高	6,100,000	2,500,000	180,000	8,780,000	△30,000	8,750,000
セグメント間の内部営業収益又は振替高	4,000	12,000	42,000	58,000	△58,000	－
計	6,104,000	2,512,000	222,000	8,838,000	△88,000	8,750,000
セグメント利益又は損失（△）	380,000	11,000	37,000	428,000	△41,000	387,000
セグメント資産	4,900,000	1,250,000	1,750,000	7,900,000	△100,000	7,800,000
その他の項目						
減価償却費	200,000	42,000	32,000	274,000	16,000	290,000
のれん償却額	67,000	2,500	500	70,000	－	70,000
減損損失	12,000	14,000	1,600	27,600	400	28,000
有形固定資産及び無形固定資産の増加額	270,000	75,000	36,000	381,000	49,000	430,000

〈資料４〉 報告セグメントごとの売上高、利益、資産、その他の項目の金額
に関する情報（続き）

X2年度　　　　　　　　　　　　　　　　　　　　　　　　　（単位：百万円）

| | 報告セグメント | | | | 調整額 | 連結財務諸表計上額 |
	X 事業部	Y 事業部	Z 事業部	計		
売上高						
外部顧客への売上高	9,700,000	1,900,000	170,000	11,770,000	30,000	11,800,000
セグメント間の内部営業収益又は振替高	5,000	7,500	46,000	58,500	△58,500	－
計	9,705,000	1,907,500	216,000	11,828,500	△28,500	11,800,000
セグメント利益又は損失（△）	520,000	15,000	34,000	569,000	△69,000	500,000
セグメント資産	6,280,000	1,500,000	980,000	8,760,000	△160,000	8,600,000
その他の項目						
減価償却費	280,000	46,000	33,000	359,000	11,000	370,000
のれん償却額	110,000	4,000	400	114,400	△1,400	113,000
減損損失	17,000	29,000	180	46,180	2,820	49,000
有形固定資産及び無形固定資産の増加額	270,000	68,000	31,000	369,000	51,000	420,000

【問１】　〈資料１〉の空欄（ア）に当てはまる数値を選びなさい。
　①　480,000　　②　340,000　　③　360,000　　④　500,000

解答欄

【問２】　〈資料２〉の空欄（イ）に当てはまる数値を選びなさい。
　①　1,300,000　　②　1,413,000　　③　2,300,000　　④　863,000

解答欄

【問３】　〈資料３〉の空欄（ウ）に当てはまる数値を選びなさい。
　①　397,300　　②　304,600　　③　297,600　　④　453,600

解答欄

【問４】　〈資料２〉の空欄（エ）に当てはまる数値を選びなさい。
　①　70,000　　②　290,000　　③　370,000　　④　113,000

解答欄

【問5】 〈資料３〉の空欄（オ）と（カ）に当てはまる数値の適切な組み合わせを選びなさい。

① （オ）△300　　（カ）30,000
② （オ）△300　　（カ）△30,000
③ （オ）300　　（カ）30,000
④ （オ）300　　（カ）△30,000

解答欄

【問6】 〈資料２〉の空欄（キ）に当てはまる数値を選びなさい。

① 168,400　② 1,432,000　③ 499,200　④ 506,000

解答欄

【問7】 次の文章について、正誤の組み合わせとして正しいものを選びなさい。なお、当座資産は、流動資産合計から棚卸資産とその他の流動資産（未収利息を含む）を控除したものとして計算すること。

（ア）X2年度の正味運転資本の対前年度比率は、110％を超えている。
（イ）当座比率からみた短期の資金繰りは、X1年度からX2年度にかけて改善したといえる。

① （ア）正　　（イ）正　　② （ア）正　　（イ）誤
③ （ア）誤　　（イ）正　　④ （ア）誤　　（イ）誤

解答欄

【問8】 次の文章について、正誤の組み合わせとして正しいものを選びなさい。

（ア）自己資本比率からみた長期の安全性は、X1年度のほうが良好である。
（イ）固定比率からみた長期の安全性は、X1年度のほうが良好である。

① （ア）正　　（イ）正　　② （ア）正　　（イ）誤
③ （ア）誤　　（イ）正　　④ （ア）誤　　（イ）誤

解答欄

【問9】　次の文章の空欄（ア）と（イ）に当てはまる数値と語句の適切な組み合わせを選びなさい。

X2年度のインタレスト・カバレッジ・レシオは（ア）倍であり、ここからみた金利支払能力は（イ）のほうが高い。

① （ア）13.6　（イ）X1年度
② （ア）13.6　（イ）X2年度
③ （ア）14.6　（イ）X1年度
④ （ア）14.6　（イ）X2年度

解答欄

【問10】　次の文章について、正誤の組み合わせとして正しいものを選びなさい。

（ア）ROEを高くするには、総資本回転率を高くするとよい。
（イ）総資本回転率からみると、X1年度よりもX2年度のほうが資本を有効活用していると判断できる。

① （ア）正　（イ）正　② （ア）正　（イ）誤
③ （ア）誤　（イ）正　④ （ア）誤　（イ）誤

解答欄

【問11】　次の文章について、正誤の組み合わせとして正しいものを選びなさい。

（ア）営業キャッシュ・フロー対流動負債比率は、両年度ともプラスである。
（イ）営業キャッシュ・フロー対有利子負債比率は、X1年度のほうが高い。

① （ア）正　（イ）正　② （ア）正　（イ）誤
③ （ア）誤　（イ）正　④ （ア）誤　（イ）誤

解答欄

【問12】 次の文章について、正誤の組み合わせとして正しいものを選びなさい。

> （ア）フリー・キャッシュ・フローがマイナスの場合、キュッシュの水準を維持するためには、財務キャッシュ・フローをマイナスにする必要がある。
> （イ）売上高営業利益率はX1年度のほうが良好であるが、営業キャッシュ・フロー・マージンはX2年度のほうが良好である。

① （ア）正　　（イ）正　　　② （ア）正　　　（イ）誤
③ （ア）誤　　（イ）正　　　④ （ア）誤　　　（イ）誤

解答欄

【問13】 次の文章について、正誤の組み合わせとして正しいものを選びなさい。

> （ア）売上に対する構成率からみたＺ事業部の内部売上高への依存度は、X2年度に増加している。
> （イ）X2年度のセグメント資産利益率からみると、Ｙ事業は、他の事業と比較して投資効率が高いといえる。

① （ア）正　　（イ）正　　　② （ア）正　　　（イ）誤
③ （ア）誤　　（イ）正　　　④ （ア）誤　　　（イ）誤

解答欄

【問14】 次の文章の空欄（ア）と（イ）に当てはまる数値と語句の適切な組み合わせを選びなさい。なお、キャッシュ・コンバージョン・サイクルの基礎となる回転率は、すべて売上高によって計算するものとする。

> キャッシュ・コンバージョン・サイクルは、X1年度13日、X2年度（ア）日であり、（イ）のほうが営業循環過程における資金収支の効率が高いと判断できる。

① （ア）11　　（イ）X1年度
② （ア）11　　（イ）X2年度
③ （ア）8　　（イ）X1年度
④ （ア）8　　（イ）X2年度

解答欄

【問15】　次の文章について、正誤の組み合わせとして正しいものを選びなさい。

(ア) キャッシュ・フローからみた設備投資額は、X1年度は返済義務のある長期調達資金の純増減額でカバーできているが、X2年度はカバーできていない。
(イ) 設備投資キャッシュ・フロー比率からみると、両年度ともに過剰投資の可能性は低いといえる。

① （ア）正　　（イ）正　　② （ア）正　　（イ）誤
③ （ア）誤　　（イ）正　　④ （ア）誤　　（イ）誤

解答欄

模擬問題②

Ⅰ 次の【問１】～【問９】の設問に答えなさい。

【問１】 次の文章について、正誤の組み合わせとして正しいものを選びなさい。

> (ア)棚卸資産の貸借対照表価額には、低価法を適用する。このため、期末の正味売却価額が取得原価を下回る場合には、正味売却価額によって貸借対照表に計上される。
>
> (イ)社債を額面金額より低い価額で発行した場合、発行会社での社債の貸借対照表価額は、償却原価法により計算した価額となる。

① （ア)正　　（イ)正　　　② （ア)正　　（イ)誤
③ （ア)誤　　（イ)正　　　④ （ア)誤　　（イ)誤

解答欄

【問２】 次の文章について、正誤の組み合わせとして正しいものを選びなさい。

> (ア)Ｐ社はＡ社の議決権の25％を所有している。また、Ｐ社の子会社であるＳ社は、Ａ社の議決権の35％を所有している。このとき、Ａ社はＰ社の関連会社である。
>
> (イ)Ｐ社はＢ社の議決権の45％を保有しており、かつ、Ｂ社の取締役会の構成は、Ｐ社の役員により過半数が占められている。このとき、Ｂ社はＰ社の子会社である。

① （ア)正　　（イ)正　　　② （ア)正　　（イ)誤
③ （ア)誤　　（イ)正　　　④ （ア)誤　　（イ)誤

解答欄

【問３】 次の文章について、正誤の組み合わせとして正しいものを選びなさい。

> (ア)子会社であっても、持分法を適用することがある。
> (イ)関連会社であっても、持分法を適用しないことがある。

① （ア)正　　（イ)正　　　② （ア)正　　（イ)誤
③ （ア)誤　　（イ)正　　　④ （ア)誤　　（イ)誤

解答欄

【問4】　次の文章について、正誤の組み合わせとして正しいものを選びなさい。

(ア)直接法、間接法いずれの方法によった場合でも、営業活動による
　　キャッシュ・フローの金額は同じである。
(イ)間接法による場合には、投資活動によるキャッシュ・フローについ
　　ても、収入と支出を相殺して純額で表示することができる。

①　(ア)正　　(イ)正　　　　②　(ア)正　　(イ)誤
③　(ア)誤　　(イ)正　　　　④　(ア)誤　　(イ)誤

解答欄

【問5】　次の文章について、正誤の組み合わせとして正しいものを選びなさい。

(ア)経営者の過去における意思決定の成果が、キャッシュ・フローの面
　　でどのように結実したのかは、投資活動によるキャッシュ・フロー
　　の区分をみることにより判断できる。
(イ)財務活動によるキャッシュ・フローの区分には、企業の活動に必要
　　な資金調達に関連する活動から生じるキャッシュ・フローに加え
　　て、どのキャッシュ・フロー区分にも属さない活動によるキャッシ
　　ュ・フローを含めて示される。

①　(ア)正　　(イ)正　　　　②　(ア)正　　(イ)誤
③　(ア)誤　　(イ)正　　　　④　(ア)誤　　(イ)誤

解答欄

【問6】　次の文章について、正誤の組み合わせとして正しいものを選びなさい。

(ア)キャッシュ・フロー計算書では、預入日から満期日までの期間が1
　　か月の定期預金の預入れは、どのキャッシュ・フローの区分にも表
　　示されない。
(イ)預入日から満期日までの期間が1年の定期預金が満期を迎えたこ
　　とによる収入は、財務活動によるキャッシュ・フローの区分に表示
　　される。

①　(ア)正　　(イ)正　　　　②　(ア)正　　(イ)誤
③　(ア)誤　　(イ)正　　　　④　(ア)誤　　(イ)誤

解答欄

【問7】 次の文章について、正誤の組み合わせとして正しいものを選びなさい。

(ア)株主資本等変動計算書の当期変動額の内容は、すべて当期の損益計算書に反映される。
(イ)株主資本等変動計算書の前期末残高と当期末残高は、前期末および当期末の貸借対照表の純資産の部の項目の残高と一致する。

① (ア)正　(イ)正　　② (ア)正　(イ)誤
③ (ア)誤　(イ)正　　④ (ア)誤　(イ)誤

解答欄

【問8】 次の文章について、正誤の組み合わせとして正しいものを選びなさい。

(ア)連単倍率が1倍以上であることは、企業集団の業績に子会社が貢献していることを意味する。
(イ)売上高の連単倍率が1倍を上回っていても、当期純利益の連単倍率が1倍未満となることがある。

① (ア)正　(イ)正　　② (ア)正　(イ)誤
③ (ア)誤　(イ)正　　④ (ア)誤　(イ)誤

解答欄

【問9】 次の文章について、正誤の組み合わせとして正しいものを選びなさい。

(ア)配当性向が100%未満である場合、株式益回りは配当利回りより大きくならない。
(イ)PBRは、必ず1倍以上になる。

① (ア)正　(イ)正　　② (ア)正　(イ)誤
③ (ア)誤　(イ)正　　④ (ア)誤　(イ)誤

解答欄

第1章
第2章
第3章
第4章
第5章
第6章
第7章
第8章
第9章
第10章

Ⅱ　次の【問 1】～【問 11】の設問に答えなさい。

【問 1】　次の文章の空欄（ア）と（イ）に当てはまる語句の適切な組み合わせを選びなさい。

　金融商品取引法では、発行市場と流通市場に区分して、開示すべき書類について規定している。発行市場では、有価証券届出書の（ア）や、目論見書の（イ）を求めている。

① （ア）投資者への直接交付　　　（イ）内閣総理大臣への提出
② （ア）内閣総理大臣への提出　　（イ）投資者への直接交付
③ （ア）金融商品取引所への提出（イ）投資者への直接交付
④ （ア）投資者への直接交付　　　（イ）金融商品取引所への提出

解答欄

【問 2】　次の文章の空欄（ア）と（イ）に当てはまる語句の適切な組み合わせを選びなさい。

　負債は、企業が負っている（ア）のうち貨幣額で測定可能なもののことをいい、法律上の債務とは必ずしも同じではない。（イ）のように法的債務でないものでも負債となるものがある。

① （ア）経済的負担（イ）貸倒引当金
② （ア）経済的負担（イ）修繕引当金
③ （ア）法的義務　（イ）修繕引当金
④ （ア）法的義務　（イ）貸倒引当金

解答欄

【問 3】　次の文章の空欄（ア）と（イ）に当てはまる語句の適切な組み合わせを選びなさい。

　持分法は、（ア）や関連会社の純資産および損益のうち、（イ）に帰属する部分の変動に応じて（イ）の投資の金額を毎期修正する方法である。

① （ア）連結子会社　　　（イ）親会社
② （ア）連結子会社　　　（イ）非支配株主
③ （ア）非連結子会社　　（イ）親会社
④ （ア）非連結子会社　　（イ）非支配株主

解答欄

【問4】 次の文章の空欄（ア）と（イ）に当てはまる語句の適切な組み合わせを選びなさい。

> キャッシュ・フロー計算書は、（ア）における現金及び現金同等物の収入と支出の状況を報告する計算書である。ここでいう現金は、手元現金と（イ）から構成される。

① （ア）期末時点　　　（イ）要求払預金
② （ア）期末時点　　　（イ）当座借越
③ （ア）一会計期間　　（イ）要求払預金
④ （ア）一会計期間　　（イ）当座借越

解答欄

【問5】 次の文章の空欄（ア）と（イ）に当てはまる数値の適切な組み合わせを選びなさい（単位：百万円）。

> 流動資産合計は36,000、有形固定資産の合計は48,000、無形固定資産の合計は2,000、投資その他の資産の合計は10,000、繰延資産はゼロである。固定負債の合計は72,000である。また、売上高は1,000,000、従業員数は1,200人である。このとき、資本集約率は（ア）、労働装備率は（イ）である。

① （ア）20　　（イ）24
② （ア）20　　（イ）40
③ （ア）80　　（イ）40
④ （ア）80　　（イ）48
⑤ （ア）96　　（イ）48

解答欄

【問6】 次の項目のうち、財務諸表が含まれる開示書類の個数を選びなさい。

ア．有価証券届出書
イ．有価証券報告書
ウ．目論見書
エ．臨時報告書
オ．半期報告書

①　1つ　　②　2つ　　③　3つ　　④　4つ　　⑤5つ

解答欄

【問7】　次の項目のうち、半期報告書に含まれない項目を選びなさい。

ア. 第1種中間連結貸借対照表
イ. 第1種中間連結損益計算書
ウ. 第1種中間連結株主資本等変動計算書
エ. 第1種中間連結キャッシュ・フロー計算書

①　ア　　②　イ　　③　ウ　　④　エ　　⑤　なし

解答欄

【問8】　次の項目のうち、連結貸借対照表上、株主資本の区分に表示されない項目の個数を選びなさい。

ア. 資本剰余金
イ. 当期純利益
ウ. 非支配株主持分
エ. 自己株式
オ. 新株予約権

①　1つ　　②　2つ　　③　3つ　　④　4つ　　⑤　5つ

解答欄

【問9】　連結損益計算書に関する次の文章のうち、正しいものの個数を選びなさい。

ア. 収益認識の最終ステップは、契約履行義務への取引価格の配分である。
イ. 原価回収基準は、進捗度を合理的に見積ることができる場合の収益の認識方法である。
ウ. 売上原価には、個別損益計算書のような明細は表示されない。
エ. 売上割引は、営業外収益の項目である。
オ. 有価証券売却損と投資有価証券売却損は、いずれも営業外費用の項目である。

①　1つ　　②　2つ　　③　3つ　　④　4つ　　⑤　5つ

解答欄

【問10】 次の項目のうち、株主資本等変動計算書において株主資本の変動に該当する項目の個数を選びなさい。

ア.その他有価証券評価差額金の増加
イ.自己株式の取得
ウ.新株予約権の発行
エ.新株の発行
オ.剰余金の配当

① 1つ ② 2つ ③ 3つ ④ 4つ ⑤ 5つ

解答欄

【問11】 連結キャッシュ・フロー計算書の営業活動によるキャッシュ・フローの表示方法として間接法を採用した場合、次の項目のうち税金等調整前当期純利益に加算する項目の個数を選びなさい。ただし、営業活動によるキャッシュ・フローの区分に表示されるものに限るものとする。

ア.減価償却費
イ.投資有価証券評価損
ウ.有形固定資産売却益
エ.賞与引当金の増加額
オ.棚卸資産の増加額
カ.売上債権の減少額
キ.支払利息

① 1つ ② 2つ ③ 3つ ④ 4つ ⑤ 5つ

解答欄

第1章
第2章
第3章
第4章
第5章
第6章
第7章
第8章
第9章
第10章

209

Ⅲ

　商品販売業を営むA社に関する〈資料1〉から〈資料6〉により、【問1】から【問13】の設問に答えなさい。分析にあたって、連結貸借対照表数値、発行済株式数および株価は期末の数値を用いることとし、純資産を自己資本とみなす。△はマイナスを意味する。なお、計算にあたって端数が出る場合は、特別な指示がないかぎり、小数点以下第2位を四捨五入するものとする。

〈資料1〉連結貸借対照表　　　　　　　　　　　　　　　（単位：百万円）

	X1年度	X2年度
資産の部		
流動資産		
現金及び預金	11,620	18,900
受取手形及び売掛金	4,640	5,160
有価証券	300	1,250
商品	2,410	2,520
その他	2,890	2,080
貸倒引当金	△80	△100
流動資産合計	21,780	29,810
固定資産		
有形固定資産		
建物及び構築物	56,300	63,800
土地	5,200	5,200
リース資産	11,100	11,480
その他	15,370	17,340
有形固定資産合計	87,970	97,820
無形固定資産		
ソフトウェア	290	270
その他	4,220	3,500
無形固定資産合計	4,510	3,770
投資その他の資産		
長期貸付金	4,670	4,900
繰越税金資産	800	（　　　）
その他	2,450	950
貸倒引当金	△30	（ア）
投資その他の資産合計	7,890	6,800
固定資産合計	100,370	108,390
資産合計	122,150	138,200

〈資料1〉連結貸借対照表（続き）　　　　　　　　（単位：百万円）

	X1年度	X2年度
負債の部		
流動負債		
支払手形及び買掛金	6,600	7,000
短期借入金	0	950
リース債務	4,300	4,000
賞与引当金	1,000	1,300
未払法人税等	600	1,370
その他	3,450	4,630
流動負債合計	15,950	19,250
固定負債		
長期借入金	30,000	34,000
リース債務	24,200	22,750
資産除去債務	2,700	3,000
退職給付に係る負債	6,500	7,200
その他	1,500	8,450
固定負債合計	64,900	75,400
負債合計	80,850	94,650
純資産の部		
株主資本		
資本金	2,000	2,000
利益剰余金	40,000	41,250
自己株式	△700	△700
株主資本合計	41,300	42,550
その他の包括利益累計額	△700	△500
非支配株主持分	700	1,500
純資産合計	41,300	43,550
負債純資産合計	122,150	138,200

〈資料2〉連結損益計算書　　　　　　　　　　　　　　（単位：百万円）

	X1年度	X2年度
売上高	183,000	211,400
売上原価	82,500	92,100
売上総利益	100,500	119,300
販売費及び一般管理費	101,600	116,000
営業利益	△1,100	3,300
営業外収益		
受取利息及び受取配当金	70	280
その他	3,000	300
営業外収益合計	3070	580
営業外費用		
支払利息	220	270
その他	30	20
営業外費用合計	250	290
経常利益	1,720	3,590
特別利益		
固定資産売却益	0	300
その他	30	20
特別利益合計	30	320
特別損失		
固定資産売却損	0	200
固定資産廃棄損	40	80
減損損失	500	590
その他	100	200
特別損失合計	640	1,070
税金等調整前当期純利益	1,110	2,840
法人税、住民税及び事業税	360	1,270
法人税等調整額	200	（イ）
法人税等合計	560	1,090
当期純利益	550	（　　　　）
非支配株主に帰属する当期純利益	150	500
親会社株主に帰属する当期純利益	400	1,250

〈資料3〉連結包括利益計算書　　　　　　　　　　　　（単位：百万円）

	X1年度	X2年度
当期純利益	550	1,750
その他の包括利益	900	1,250
包括利益	1,450	3,000
（内訳）		
親会社に係る包括利益	870	1,800
非支配株主に係る包括利益	580	1,200

〈資料4〉連結株主資本等変動計算書（X2年度、株主資本のみを抜粋）

（単位：百万円）

	株主資本			
	資本金	利益剰余金	自己株式	株主資本合計
当期首残高	2,000	40,000	△700	41,300
当期変動額				
親会社株式に帰属する当期純利益		1,250		1,250
当期変動額合計		1,250		1,250
当期末残高	2,000	41,250	△700	42,550

第1章
第2章
第3章
第4章
第5章
第6章
第7章
第8章
第9章
第10章

〈資料5〉連結キャッシュ・フロー計算書　　　　　　　　（単位：百万円）

	X1年度	X2年度
営業活動によるキャッシュ・フロー		
税金等調整前当期純利益	1,110	2,840
減価償却費	7,630	8,850
貸倒引当金の増減額	0	40
賞与引当金の増減額	100	300
減損損失	500	590
固定資産売却損益	0	△100
固定資産廃棄損	40	（ウ）
受取利息及び受取配当金	△70	△280
支払利息	220	270
売上債権の増減額	1,000	△520
棚卸資産の増減額	△550	△110
仕入債務の増減額	380	（エ）
その他	2,360	2,110
小計	12,720	14,470
利息及び配当金の受取額	30	240
利息の支払額	△220	△270
法人税等の支払額	△2,300	△500
営業活動によるキャッシュ・フロー	10,230	13,940
投資活動によるキャッシュ・フロー		
有形固定資産の取得による支出	△3,100	△25,000
有形固定資産の売却による収入	0	5,630
その他	△7,310	10,410
投資活動によるキャッシュ・フロー	△10,410	△8,960
財務活動によるキャッシュ・フロー		
短期借入金の純増減額	△850	950
長期借入れによる収入	0	26,000
長期借入金の返済による支出	△2,800	△22,000
リース債務の返済による支出	△1,700	△1,750
その他	△600	△800
財務活動によるキャッシュ・フロー	△5,950	2,400
現金及び現金同等物の増減額	△6,130	7,380
現金及び現金同等物の期首残高	17,450	11,320
現金及び現金同等物の期末残高	11,320	18,700

〈資料６〉財務諸表に関係する数値

	X1年度	X2年度
役員報酬（百万円）	9,000	10,000
給料手当（百万円）	40,900	47,000
賞与引当金繰入額（百万円）	1,000	1,300
退職給付費用（百万円）	800	1,100
減価償却費（百万円）	（　）	（オ）
固定負債のその他に含まれる社債（百万円）	0	0
現金及び預金勘定（百万円）	（　）	18,900
現金及び現金同等物（百万円）	（カ）	18,700
預金勘定に含まれる当座借越（百万円）	300	1,230
預入期間が３か月を超える定期預金（百万円）	300	200
期末発行済株式数（百万株）※自己株式控除後の株式数	50	50
期末株価（円）	100	250

【問１】　〈資料１〉の空欄（ア）に当てはまる数値を選びなさい。

①　50　　②　60　　③　△50　　④　△70　　⑤　10

解答欄　[　　]

【問２】　〈資料２〉の空欄（イ）に当てはまる数値を選びなさい。

①　△80　　②　△180　　③　△100　　④　180　　⑤　80

解答欄　[　　]

【問３】　〈資料５〉の空欄（ウ）に当てはまる数値を選びなさい。

①　80　　②　100　　③　△100　　④　△80　　⑤　△200

解答欄　[　　]

【問４】　〈資料５〉の空欄（エ）に当てはまる数値を選びなさい。

①　△300　　②　450　　③　△450　　④　400　　⑤　△400

解答欄　[　　]

【問5】　〈資料6〉の空欄（オ）に当てはまる数値を選びなさい。

①　8,800　　②　8,850　　③　△8,800　　④　7,630　　⑤　△8,850

解答欄

【問6】　〈資料6〉の空欄（カ）に当てはまる数値を選びなさい。

①　11,620　　②　10,320　　③　11,020　　④　18,900　　⑤　11,320

解答欄

【問7】　次の文章について、正誤の組み合わせとして正しいものを選びなさい。

（ア）ネットキャッシュは、現預金－当座借越で計算できる。
（イ）X2年度のネットキャッシュは、41,550百万円である。

①　（ア）正　　（イ）正　　　②　（ア）正　　（イ）誤
③　（ア）誤　　（イ）正　　　④　（ア）誤　　（イ）誤

解答欄

【問8】　次の文章について、正誤の組み合わせとして正しいものを選びなさい。

（ア）仕入債務回転率が低いほど、短期資金繰りにはプラスになる。
（イ）仕入債務回転率は、X2年度のほうが高い。

①　（ア）正　　（イ）正　　　②　（ア）正　　（イ）誤
③　（ア）誤　　（イ）正　　　④　（ア）誤　　（イ）誤

解答欄

【問9】 次の文章について、正誤の組み合わせとして正しいものを選びなさい。

> (ア)手元流動性が大きいほど、支払い能力が高いと判断できる。
> (イ)手元流動性比率は、X2年度のほうが大きい。

① （ア）正 （イ）正 ② （ア）正 （イ）誤
③ （ア）誤 （イ）正 ④ （ア）誤 （イ）誤

解答欄

【問10】 次の文章について、正誤の組み合わせとして正しいものを選びなさい。なお、当座資産は、流動資産から棚卸資産とその他の流動資産を控除したものとして計算すること。

> (ア)当座比率の値は、流動比率よりも大きくなる。
> (イ)当座比率からみると、X2年度のほうが短期の安全性が低いと判断できる。

① （ア）正 （イ）正 ② （ア）正 （イ）誤
③ （ア）誤 （イ）正 ④ （ア）誤 （イ）誤

解答欄

【問11】 次の文章について、正誤の組み合わせとして正しいものを選びなさい。なお、売上原価の全額と販売費及び一般管理費の5％を変動費としている。また、X2年度とX3年度の経営資本は同額、X2年度とX3年度の変動費率（小数点以下切り捨て）は同率とする。

> (ア)X3年度の経営資本営業利益率をX2年度の経営資本営業利益率（小数点以下第2位を四捨五入した結果）より1.0％増加させるためには、営業利益を1,299百万円増加させる必要がある。
> (イ)X3年度の売上高を232,000百万円とした場合、限界利益は125,280百万円になる。

① （ア）正 （イ）正 ② （ア）正 （イ）誤
③ （ア）誤 （イ）正 ④ （ア）誤 （イ）誤

解答欄

【問12】　次の文章について、正誤の組み合わせとして正しいものを選びなさい。

> (ア) 株価キャッシュ・フロー倍率と株価収益率を比べた場合、企業間比較に適しているのは株価キャッシュ・フロー倍率といえる。
> (イ) 株価キャッシュ・フロー倍率は、X2年度のほうが大きい。

① （ア）正　　（イ）正　　　② （ア）正　　（イ）誤
③ （ア）誤　　（イ）正　　　④ （ア）誤　　（イ）誤

解答欄

【問13】　次の文章について、正誤の組み合わせとして正しいものを選びなさい。

> (ア) 株式益回りは、PERの逆数で表される。
> (イ) 財務レバレッジは、負債比率の逆数で表される。

① （ア）正　　（イ）正　　　② （ア）正　　（イ）誤
③ （ア）誤　　（イ）正　　　④ （ア）誤　　（イ）誤

解答欄

Ⅳ

　B社に関する〈資料１〉から〈資料４〉により、【問１】から【問９】の設問に答えなさい。分析にあたって、連結貸借対照表数値、発行済株式数、株価および従業員数は期末の数値を用いることとし、純資産を自己資本とみなす。△はマイナスを意味する。なお、計算にあたって端数が出る場合は、特別な指示がないかぎり、小数点以下第２位を四捨五入するものとする。また、時価総額は、自己株式を控除する前の株式数で計算すること。

〈資料１〉連結貸借対照表（抜粋）　　　　　　　　　　　　　（単位：百万円）

	X1年度	X2年度
資産の部		
流動資産	30,000	35,000
固定資産		
有形固定資産	8,600	8,500
無形固定資産	4,000	3,200
投資その他の資産	8,400	8,000
固定資産合計	21,000	19,700
資産合計	51,000	54,700
負債の部		
流動負債	14,200	12,700
（うち短期借入金）	1,000	3,800
固定負債	3,500	5,200
負債合計	17,700	17,900
純資産の部		
株主資本		
資本金	15,000	15,000
資本剰余金	9,600	9,600
利益剰余金	7,340	10,650
自己株式	△900	△1,600
株主資本合計	31,040	33,650
その他の包括利益累計額		
その他有価証券評価差額金	2,000	3,000
繰延ヘッジ損益	10	15
為替換算調整勘定	100	125
非支配株主持分	150	10
純資産合計	33,300	36,800
負債純資産合計	51,000	54,700

〈資料2〉連結損益計算書（抜粋）　　　　　　　　　　　　　　（単位：百万円）

	X1年度	X2年度
売上高	39,000	58,000
売上原価	20,000	22,000
売上総利益	19,000	36,000
販売費及び一般管理費	19,600	34,000
営業利益	△600	2,000
営業外収益	500	300
営業外費用	180	120
（うち持分法による投資損失）	90	10
経常利益	△280	2,180
特別利益	2,100	50
特別損失	600	1,100
税金等調整前当期純利益	1,220	1,130
法人税、住民税及び事業税	40	200
法人税等調整額	0	△800
法人税等合計	40	△600
当期純利益	1,180	530
非支配株主に帰属する当期純利益	0	150
親会社株主に帰属する当期純利益	1,180	380

〈資料3〉連結キャッシュ・フロー計算書（抜粋）　　　　　　　（単位：百万円）

	X1年度	X2年度
営業活動によるキャッシュ・フロー	△1,600	4,200
投資活動によるキャッシュ・フロー	△1,350	△1,000
（うち有形固定資産の取得による支出）	△200	△350
財務活動によるキャッシュ・フロー	550	△920
（うち短期借入金の純増減額）	1,000	2,800
（うち自己株式の取得による支出）	0	△700
現金及び現金同等物の増減額	△2,400	2,280
現金及び現金同等物の期首残高	19,000	16,600
現金及び現金同等物の期末残高	16,600	18,880

〈資料４〉財務諸表に関係する数値

項目	X0年度	X1年度	X2年度
発行済株式数（百万株）	41	41	41
1株当たり株価（円）	456	1,090	1,080
1株当たり配当額（円）	23	4	2

【問１】 次の文章について、正誤の組み合わせとして正しいものを選びなさい。

(ア)B社は、一行連結対象の会社を有している。
(イ)B社は、デリバティブ取引を行っており、ヘッジ会計で処理している。

① （ア）正 （イ）正 ② （ア）正 （イ）誤
③ （ア）誤 （イ）正 ④ （ア）誤 （イ）誤

解答欄

【問２】 次の文章について、正誤の組み合わせとして正しいものを選びなさい。

(ア)A社には、企業会計上の利益と課税所得計算上の所得に一時差異が存在する。
(イ)減価償却超過額は、繰延税金資産を発生させる。

① （ア）正 （イ）正 ② （ア）正 （イ）誤
③ （ア）誤 （イ）正 ④ （ア）誤 （イ）誤

解答欄

【問３】 次の文章について、正誤の組み合わせとして正しいものを選びなさい。なお、売上原価と販売費及び一般管理費の10％を変動費として、変動費以外の販売費及び一般管理費を固定費として計算している。

(ア)X1年度の損益分岐点売上高は、40,000円以下である。
(イ)損益分岐点比率からみると、X2年度のほうが安全性が高いと判断できる。

① （ア）正 （イ）正 ② （ア）正 （イ）誤
③ （ア）誤 （イ）正 ④ （ア）誤 （イ）誤

解答欄

第1章
第2章
第3章
第4章
第5章
第6章
第7章
第8章
第9章
第10章

【問４】　次の文章の空欄（ア）と（イ）に当てはまる数値と語句の適切
　　　　　な組み合わせを選びなさい。なお、小数点以下第3位を四捨五入
　　　　　するものとする。

X1年度の財務レバレッジは（ア）倍であり、X2年度よりも（イ）。

①　（ア）1.49　　（イ）高い
②　（ア）1.49　　（イ）低い
③　（ア）1.53　　（イ）高い
④　（ア）1.53　　（イ）低い

解答欄

【問５】　次の文章の空欄（ア）と（イ）に当てはまる数値と語句の適切
　　　　　な組み合わせを選びなさい。

自己資本当期純利益は（ア）とも呼ばれ、X1年度は（イ）％である。

①　（ア）ROI　　（イ）3.5
②　（ア）ROI　　（イ）3.8
③　（ア）ROE　　（イ）3.5
④　（ア）ROE　　（イ）3.8

解答欄

【問６】　次の文章について、正誤の組み合わせとして正しいものを選
　　　　　びなさい。

（ア）A社の資本市場における経済的価値は、X2年度に増加している。
（イ）X2年度末にA社が解散した場合、同日にA社の株を購入していた
　　　者は損失を被ることになる。

①　（ア）正　　（イ）正　　　②　（ア）正　　（イ）誤
③　（ア）誤　　（イ）正　　　④　（ア）誤　　（イ）誤

解答欄

【問7】 次の文章の空欄（ア）と（イ）に当てはまる数値と語句の適切な組み合わせを選びなさい。

X2年度の配当性向は（ア）％であり、X1年度と比較して株主に対する還元を（イ）させているといえる。

① （ア）13.9　　（イ）増加
② （ア）13.9　　（イ）減少
③ （ア）21.6　　（イ）増加
④ （ア）21.6　　（イ）減少

解答欄

【問8】 次の文章について、正誤の組み合わせとして正しいものを選びなさい。

（ア）X2年度末までの2年間の株主総利回りは、300％以上である。
（イ）X1年度の配当利回りは、X2年度の配当利回りの3倍を超えている。

① （ア）正　　（イ）正　　② （ア）正　　（イ）誤
③ （ア）誤　　（イ）正　　④ （ア）誤　　（イ）誤

解答欄

【問9】 次の文章について、正誤の組み合わせとして正しいものを選びなさい。

（ア）X2年度には、1株当たり当期純利益が増加している。
（イ）X2年度には、1株当たり純資産が増加している。

① （ア）正　　（イ）正　　② （ア）正　　（イ）誤
③ （ア）誤　　（イ）正　　④ （ア）誤　　（イ）誤

解答欄

解答・解説①

I

【問1】解答：②

（イ）　会社法においても、<u>連結計算書類</u>の作成が求められます。

【問2】解答：②

（イ）　その他有価証券のうち、市場価格（時価）のあるものについては、<u>期末の時価が貸借対照表価額</u>になります。

【問3】解答：③

（ア）　自己株式は、貸借対照表の純資産の部に、<u>株主資本の控除項目</u>として表示されます。

【問4】解答：①

　製造原価明細書では、当期総製造費用の内訳として、材料費、労務費、経費を示しています。当期総製造費用に期首仕掛品棚卸高を加算し、期末仕掛品棚卸高を減算することで、当期製品製造原価を表示しています。

【問5】解答：①

（ア）　持分法の定義どおりです。定義では、「投資会社」や「被投資会社」という表現が使われることもあるので覚えておきましょう。

【問6】解答：③

（ア）　連結損益計算書は、親会社と子会社の損益計算書を単純合算し、必要な連結調整を行うことで作成されます。したがって、連結損益計算書の売上高には、<u>親会社の持分比率にかかわりなく、子会社の売上高がすべて含まれます</u>（ただし、別途、連結会社間の売上・仕入の相殺（そうさい）は行われます）。非支配株主に帰属する部分については、収益と費用を差し引きした利益を非支配株主に帰属する利益として、連結損益計算書の末尾にて調整して表示します。

【問7】解答：④

（ア）　直接法で作成した場合も、間接法で作成した場合も、小計以下の項目は<u>一致します</u>。

（イ）　間接法で表示する場合、税金等調整前当期純利益からスタートして営業活動によるキャッシュ・フローが計算されるので、<u>非支配株主に帰属する利益についての調整は必要ありません</u>。

【問8】 解答：①

（イ） 引当金の増減は、税金等調整前当期純利益に加算・減算の調整を行う項目です。しかし、企業の活動の実態としては、引当金を増加させても、キャッシュ・フローには何ら影響がありません。まぎらわしい表現となっているので注意が必要です。

【問9】 解答：①

純資産は返済の必要がない資金の調達形態です。このため純資産が多く、負債が少ないほど長期的な財務は健全であると考えられます。

Ⅱ

【問1】 解答：③

会計情報のもつ役割について問う問題です。利害調整機能と投資判断情報提供機能の2つがあります。それぞれ、成果配分支援機能、意思決定支援機能といわれることもあります。

【問2】 解答：②

親会社、子会社、関連会社の定義に関する典型的な問題です。「支配」と「重要な影響」がキーワードです。

【問3】 解答：④

償却原価法の理解を問う問題です。計算させる形式での問題は出題しにくいと予想されるので、設問のような空欄補充や、記述内容の正誤を問う問題に対応できるようにしておきましょう。

【問4】 解答：①

連結株主資本等変動計算書の構造を問う問題です。株主資本の項目と、それ以外の項目とでは、変動要因についての記載の方法が異なることを理解しておきましょう。

【問5】 解答：②

現金及び現金同等物に関する典型問題です。当座預金と通知預金は要求払預金であり、現金に該当します。定期預金は、要求払預金に該当しませんが、預入日から満期日が3か月以内のものは、現金同等物に含まれます。市場性のある株式は、価値の変動についてのリスクが少ないとはいえないため、現金同等物には該当しません。当座借越は、負の現金同等物として、現金及び現金同等物に含まれます。

【問6】 解答：③

　負ののれん発生益、売上債権の増加額、有形固定資産売却益も税金等調整前当期純利益に対する調整項目ですが、いずれも減算される項目です。「加算する項目」と問われていることに注意しましょう。

【問7】 解答：①

　売上原価＝期首製品棚卸高400百万円＋当期製品製造原価5,400百万円
　　　　　－期末製品棚卸高600百万円＝5,200百万円

【問8】 解答：④

　負債＝電子記録債務（流動負債）60百万円＋コマーシャル・ペーパー（流
　　　動負債）160百万円＋契約負債（流動負債）40百万円＝260百万円
　なお、社債発行費は繰延資産、非支配株主持分は純資産、繰延税金資産は投資その他の資産に該当します。

【問9】 解答：①

　株主資本＝資本金100百万円＋資本剰余金60百万円＋利益剰余金50
　　　　　百万円－自己株式20百万円＝190百万円

　自己株式は控除項目であるため、マイナスすることに注意しましょう。なお、新株予約権、為替換算調整勘定、その他有価証券評価差額金は、純資産には含まれますが、株主資本には該当しません。

【問10】 解答：②

親会社株主に帰属する当期純利益
＝税金等調整前当期純利益4,000百万円－（法人税、住民税及び事業税1,800百万円－法人税等調整額300百万円）－非支配株主に帰属する当期純利益200百万円＝2,300百万円

　非支配株主に帰属する当期純利益は、子会社の利益のうち非支配株主に帰属する部分であるため、損益計算書で控除することに注意しましょう。なお、持分法による投資利益は営業外収益、のれん償却額は販売費及び一般管理費の項目です。

【問11】 解答：③

　非支配株主に帰属する当期純利益は、親会社株主に帰属する当期純利益の直前に表示されます。

【問1】 解答：④

　連結包括利益計算書の1行目には、当期純利益が表示されます。

当期純利益＝包括利益45,900百万円－その他の包括利益400百万円＝
45,500百万円

【問２】解答：②

自己株式＝株主資本合計488,910百万円－（資本金51,000百万円＋資本
剰余金323,000百万円＋利益剰余金132,900百万円）＝△
17,990百万円

【問３】解答：①

　持分法による投資損益は、＜資料２＞持分法による投資利益8,300
百万円より、△8,300百万円と判明します。なお、以下のように逆算か
らも求められます。
持分法による投資損益＝営業活動によるキャッシュ・フロー小計110,600
百万円－（税金等調整前当期純利益68,600百万
円＋減価償却費62,200百万円＋減損損失13,000
百万円＋のれん償却額2,300百万円＋貸倒引当
金の増減額40百万円＋退職給付に係る負債の
増減額△2,100百万円＋受取利息及び受取配当
金△1,300百万円＋支払利息8,700百万円＋固定
資産売却損益△1,400百万円＋固定資産処分損
益5,000百万円＋投資有価証券売却損益△1,900
百万円＋売上債権の増減額△25,000百万円＋
棚卸資産の増減額△5,000百万円＋仕入債務の
増減額△8,340百万円＋その他4,100百万円）＝
△8,300百万円

【問４】解答：③

　預入期間が３か月を超える定期預金は、現金及び現金同等物－現金
及び預金勘定で求められます。現金及び預金勘定には、〈資料１〉の現
金及び預金105,000百万円が該当します。
　預入期間が３か月を超える定期預金
　＝現金及び現金同等物83,100百万円－現金及び預金勘定105,000百万
円＝△21,900百万円

【問５】解答：④

（ア）　固定比率は、（固定資産＋繰延資産）÷純資産×100で求めます。
〈資料１〉より、以下のとおりです。
　　A社：（固定資産2,477,350百万円＋繰延資産０百万円）÷純資産
974,400百万円×100≒254.2％
　　B社：（固定資産889,600百万円＋繰延資産０百万円）÷529,240

百万円×100÷168.1 ％

　　　　よって、B社のほうが長期資金の調達と運用のバランスはよい
　　　と判断できます。

（イ）　固定長期適合率は、（固定資産＋繰延資産）÷（固定負債＋純資
　　　産）×100で求めます。〈資料 1 〉より、以下のとおりです。

　　　　固定長期適合率＝（固定資産2,477,350百万円＋繰延資産 0 百万
　　　　　　　　　　　　円）　÷（固定負債1,237,000百万円＋純資産
　　　　　　　　　　　　974,400百万円）×100÷112.0%

【問 6 】　解答：①

（ア）　正味運転資本は、流動資産－流動負債で求めますが、固定負債
　　　＋純資産－固定資産－繰延資産でも求められます。

（イ）　流動比率は、流動資産÷流動負債×100で求めます。〈資料 1 〉
　　　より、以下のとおりです。

　　　　A社：流動資産234,350百万円÷流動負債500,300百万円×100÷
　　　　46.8 ％

　　　　B社：流動資産286,100百万円÷流動負債389,460百万円×100÷
　　　　73.5 ％

　　　　よって、B社のほうが、短期的な安全性が高いと判断できま
　　　す。

【問 7 】　解答：②

（ア）　A社の経営資本事業利益率は、事業利益÷経営資本×100で求
　　　めます。〈資料 1 〉〈資料 2 〉より、以下のとおりです。

　　　　事業利益＝営業利益88,000百万円＋受取利息300百万円＋受取配
　　　　　　　　　当金1,000百万円＋持分法による投資利益8,300百万
　　　　　　　　　円＝97,600百万円

　　　　経営資本＝総資本（資産合計）2,711,700百万円－（投資その他の
　　　　　　　　　資産417,350百万円＋建設仮勘定155,000百万円＋繰
　　　　　　　　　延資産 0 百万円）＝2,139,350百万円

　　　　経営資本事業利益率＝事業利益97,600百万円÷経営資本2,139,350
　　　　　　　　　　　　　　百万円×100÷4.6 ％

（イ）　B社の経営資本事業利益率は、〈資料 1 〉〈資料 2 〉より、以下
　　　のとおりです。

　　　　事業利益＝営業利益30,900百万円＋受取利息370百万円＋受取配
　　　　　　　　　当金600百万円＋持分法による投資利益1,800百万円
　　　　　　　　　＝33,670百万円

　　　　経営資本＝総資本（資産合計）1,175,700百万円－（投資その他の
　　　　　　　　　資産134,600百万円＋建設仮勘定9,000百万円＋繰延
　　　　　　　　　資産 0 百万円）＝1,032,100百万円

経営資本事業利益率＝事業利益33,670百万円÷経営資本1,032,100百万円×100≒3.3％

よって、経営資本事業利益率からみると、A社のほうが収益性は高いと判断できます。

【問8】 解答：①

売上債権回転期間は、365÷売上債権回転率で求めます。売上債権回転率は、売上高÷売上債権（受取手形及び売掛金）で求められます。〈資料1〉〈資料2〉より、以下のとおりです。

A社：売上債権回転率＝売上高968,000百万円÷受取手形及び売掛金120,000百万円≒8.1回

売上債権回転期間＝365÷売上債権回転率8.1回≒45.1日

B社：売上債権回転率＝売上高487,000百万円÷受取手形及び売掛金133,000百万円≒3.7回

売上債権回転期間＝365÷売上債権回転率3.7回≒98.6日

よって、売上債権回転期間からみると、A社のほうが売上債権の貸倒れの可能性が低いと判断できます。

【問9】 解答：①

（ア）　ROE（自己資本当期純利益率）は、売上高当期純利益率×総資本回転率×財務レバレッジに分解することができます。

（イ）　財務レバレッジは、総資本（負債純資産合計）÷自己資本（純資産合計）で求めます。〈資料1〉より、以下のとおりです。

A社：財務レバレッジ＝負債純資産2,711,700百万円÷純資産974,400百万円≒2.8倍

B社：財務レバレッジ＝負債純資産1,175,700百万円÷純資産529,240百万円≒2.2倍

よって、財務レバレッジからみると、A社のほうが他人資本の活用度合いが大きいと判断できます。

【問10】 解答：③

（ア）　経営資本営業キャッシュ・フロー比率は、営業活動によるキャッシュ・フロー÷経営資本×100で求めます。経営資本は、総資本（資産合計）－（投資その他の資産＋建設仮勘定＋繰延資産）で求められます。〈資料5〉【問7】より、以下のとおりです。

A社：経営資本営業キャッシュ・フロー比率＝営業活動によるキャッシュ・フロー102,900百万円÷経営資本2,139,350百万円×100≒4.8％

B社：経営資本営業キャッシュ・フロー比率＝営業活動によるキャッシュ・フロー28,710百万円÷経営資本1,032,100百万

円 × 100 ≒ 2.8 ％

　　よって、経営資本営業キャッシュ・フロー比率は、A 社・B 社とも 10％以下です。
（イ）　経営資本営業利益率は、営業利益÷経営資本× 100 で求めます。〈資料 2〉【問 7】より、以下のとおりです。
　　　　A 社：経営資本営業利益率＝営業利益 88,000 百万円÷経営資本 2,139,350 百万円 × 100 ≒ 4.1 ％　＜　経営資本営業キャッシュ・フロー比率 4.8 ％
　　　　B 社：経営資本営業利益率＝営業利益 30,900 百万円÷経営資本 1,032,100 百万円 × 100 ≒ 3.0％　＞　経営資本営業キャッシュ・フロー比率 2.8 ％

　　経営資本営業キャッシュ・フロー比率が経営資本営業利益率を上回っているほうが資金の回収が順当と判断できます。よって、A 社のほうが資金の回収が順当であると判断できます。

【問11】解答：①

（ア）　損益分岐点売上高は損益分岐点における売上高をいい、損益分岐点は、赤字から黒字に転換する操業度といえ、固定費と限界利益が等しくなる売上高です。
（イ）　損益分岐点比率は、損益分岐点売上高÷売上高× 100 で求めます。損益分岐点売上高は、固定費（販売費及び一般管理費）÷限界利益率で、限界利益率は、限界利益（売上総利益）÷売上高× 100 で求められます。〈資料 2〉より、以下のとおりです。
　　　　A 社：損益分岐点売上高＝販売費及び一般管理費 30,000 百万円
　　　　　　　　　　÷（売上総利益 118,000 百万円÷売上高 968,000 百万円）≒ 246,101.7
　　　　　　　損益分岐点比率＝損益分岐点売上高 246,101.7 百万円÷
　　　　　　　　　　売上高 968,000 百万円 × 100 ≒ 25.4 ％
　　　　B 社：損益分岐点売上高＝販売費及び一般管理費 256,000 百万円
　　　　　　　　　　÷（売上総利益 286,900 百万円÷売上高 487,000 百万円）≒ 434,548.6
　　　　　　　損益分岐点比率＝損益分岐点売上高 434,548.6 百万円÷
　　　　　　　　　　売上高 487,000 百万円 × 100 ≒ 89.2 ％
　　よって、損益分岐点比率は、B 社のほうが高いです。

【問12】解答：④

（ア）　経営安全率は、（売上高－損益分岐点売上高）÷売上高× 100 で求めます。損益分岐点比率は、損益分岐点売上高÷売上高× 100 で求めます。

経営安全率＋損益分岐点比率は、（売上高－損益分岐点売上高＋損益分岐点売上高）÷売上高×100

よって、分子・分母ともに売上高になるため、営業利益がプラスの場合、経営安全率＋損益分岐点比率は100%です。

（イ）【問11】〈資料2〉より、以下のとおりです。

A社の固定費が15%増加した場合：

固定費（販売費及び一般管理費）＝30,000百万円×（100%＋15%）＝30,000百万円×115%÷100＝34,500百万円

損益分岐点売上高＝販売費及び一般管理費34,500百万円÷（売上総利益118,000百万円÷売上高968,000百万円）≒283,016.9

経営安全率＝（売上高968,000百万円－損益分岐点売上高283,016.9百万円）÷売上高968,000百万円×100≒71%

【問11】（イ）より、固定費増加前の損益分岐点比率は25%です。

固定費増加前の経営安全率＝100%－損益分岐点比率25%＝75%

経営安全率の減少率＝（固定費増加前75%－固定費増加誤71%）÷固定費増加前75%×100≒5%

よって、A社の固定費が15%増加すると、経営安全率の減少率は5%となります。

【問13】 解答：④

（ア）　PBR（株価純資産倍率）は、1株当たり株価÷1株当たり純資産で求めます。1株当たり純資産は、純資産÷発行済株式数（自己株式を除く）で求められます。

よって、純資産が発行済株式数（自己株式を除く）を下回れば、PBRも1倍を下回ります。

（イ）〈資料1〉〈分析にあたっての留意事項〉より、以下のとおりです。

A社：PBR＝期末の株価45,000円÷｛純資産974,400百万円÷期末の発行済株式数（自己株式を除く）20百万株｝≒0.9倍

B社：PBR＝期末の株価12,000円÷｛純資産529,240百万円÷期末の発行済株式数（自己株式を除く）50百万株｝≒1.1倍

よって、PBRは、B社のほうが高いです。

【問14】 解答：②

（ア）　PBR（株価純資産倍率）は、1株当たり株価÷1株当たり純資産で求めます。この式は、以下のように再構成できます。

（1株当たり当期純利益÷1株当たり純資産）×（1株当たり株

価÷1株当たり当期純利益）＝（当期純利益÷純資産）×（1株当たり株価÷1株当たり当期純利益）

PER（株価収益率）＝1株当たり株価÷1株当たり当期純利益、ROE（自己資本当期純利益率）＝親会社株主に帰属する当期純利益÷純資産×100より、PER×ROE＝（1株当たり株価÷1株当たり当期純利益）×（親会社株主に帰属する当期純利益÷純資産×100）

よって、PBRは、PER×ROEで計算できます。

（イ）〈資料1〉〈分析にあたっての留意事項〉より、以下のとおりです。

A社：PER＝期末の株価45,000円÷｛親会社株主に帰属する当期純利益40,900百万円÷期末の発行済株式数（自己株式を除く）20百万株｝≒22.0倍

B社：PER＝期末の株価12,000円÷｛親会社株主に帰属する当期純利益33,300百万円÷期末の発行済株式数（自己株式を除く）50百万株｝≒18.0倍

よって、PERは、A社のほうが高いです。

【問15】解答：③

（ア）資本集約率は、従業員1人当たり総資産ともいい、従業員1人当たりに投下している資本の金額を示す指標です。

（イ）労働装備率は、従業員1人当たり有形固定資産ともいい、有形固定資産÷従業員数で求めます。〈資料1〉〈分析にあたっての留意事項〉より、以下のとおりです。

労働装備率＝有形固定資産704,000百万円÷従業員数600人≒1,173.3百万円

Ⅳ

【問1】解答：③

X1年度の受取手形及び売掛金は、X2年度の増減額より求められます。〈資料1〉〈資料3〉より、以下のとおりです。

X1年度の受取手形及び売掛金＝X2年度の受取手形及び売掛金420,000百万円＋売上債権の増減額△60,000百万円＝360,000百万円

【問2】解答：①

X2年度の販売費及び一般管理費は、売上総利益－営業利益で求めます。営業利益は、経常利益＋営業外費用－営業外収益で求められます。〈資料2〉より、以下のとおりです。

営業利益＝経常利益465,500百万円＋営業外費用44,500百万円－営業外収益10,000百万円＝500,000百万円

販売費及び一般管理費＝売上総利益1,800,000百万円－営業利益500,000百万円＝1,300,000百万円

【問3】解答：②

営業活動によるキャッシュ・フローの1行目には、税金等調整前当期純利益が表示されます。税金等調整前当期純利益は、連結損益計算書の税金等調整前当期純利益と一致します。

〈資料2〉より、税金等調整前当期純利益＝304,600百万円

【問4】解答：④

のれん償却額は、報告セグメントごとの売上高、利益、資産、その他の項目の金額に関する情報のうち、のれん償却額の連結財務諸表計上額と一致します。

〈資料4〉より、のれん償却額＝連結財務諸表計上額113,000百万円

【問5】解答：②

（オ） 営業活動によるキャッシュ・フローを間接法により表示する場合には、収益の金額を税金等調整前当期純利益に減算して調整します。

〈資料2〉より、投資有価証券売却益300であることから、連結キャッシュ・フロー計算書では、△300と表示されます。

（カ） 営業活動によるキャッシュ・フローを間接法により表示する場合には、棚卸資産の増加額を税金等調整前当期純利益に減算して調整します。

〈資料1〉より、X1年度棚卸資産250,000百万円、X2年度棚卸資産280,000百万円であることから、30,000百万円増加しています。よって、連結キャッシュ・フロー計算書では、△30,000と表示されます。

【問6】解答：①

〈資料3〉より、以下のとおりです。

現金及び現金同等物の増減額

＝現金及び現金同等物の期末残高1,568,400百万円－現金及び現金同等物の期首残高1,400,000百万円＝168,400百万円

【問7】解答：②

（ア） 正味運転資本は、流動資産－流動負債で求めます。〈資料1〉より、以下のとおりです。

X1年度：正味運転資本＝流動資産 2,513,200 百万円 － 流動負債
778,000百万円＝1,735,200百万円

X2年度：正味運転資本＝流動資産 2,921,700 百万円 － 流動負債
948,800百万円＝1,972,200百万円

正味運転資本の対前年度比率＝X2年度正味運転資本1,972,200百万
円 ÷ X1年度正味運転資本1,735,200
百万円×100≒113.7％

　よって、X2年度の正味運転資本の対前年度比率は、110％を超え
ています。

（イ）　当座比率は、当座資産 ÷ 流動負債 × 100で求めます。〈資料 1 〉
より、以下のとおりです。

　設問の条件より、当座資産＝流動資産合計 －（棚卸資産＋その
他の流動資産＋未収利息）で計算します。

X1年度：未収利息＝流動資産 2,513,200 百万円 －（現金及び預金
1,420,000百万円＋受取手形及び売掛金【問 1 】
（ア）より）360,000百万円＋有価証券120,000
百万円＋棚卸資産 250,000 百万円＋その他
300,000百万円＋貸倒引当金△7,800百万円）＝
71,000百万円

当座資産＝流動資産 2,513,200 百万円 －（棚卸資産250,000
百万円＋その他300,000百万円＋未収利息71,000
百万円）＝1,892,200百万円

当座比率＝当座資産1,892,200 百万円 ÷ 流動負債778,000
百万円×100≒243.2％

X2年度：当座資産＝流動資産 2,921,700 百万円 －（棚卸資産280,000
百万円＋その他390,000百万円＋未収利息72,000
百万円）＝2,179,700百万円

当座比率＝当座資産2,179,700 百万円 ÷ 流動負債948,800
百万円×100≒229.7％

　当座比率は、流動負債に対して当座資産がどれだけあるかを示
す指標であるため、比率は大きいほうが望ましいです。よって、
当座比率からみた短期の資金繰りは、X1年度からX2年度にかけて
悪化したといえます。

【問 8 】　解答：④

（ア）　自己資本比率は、自己資本（純資産） ÷ 負債純資産合計 × 100で
求めます。〈資料 1 〉より、以下のとおりです。

X1年度：自己資本比率＝純資産 3,121,000 百万円 ÷ 負債純資産
7,800,000百万円×100≒40.0％

　　X2年度：自己資本比率＝純資産3,601,200百万円÷負債純資産8,600,000百万円×100≒41.9%

　　よって、自己資本比率からみた長期の安全性は、<u>X2年度</u>のほうが良好です。

（イ）　固定比率は、（固定資産＋繰延資産）÷純資産×100で求めます。

　　X1年度：固定比率＝（固定資産5,286,800＋繰延資産0百万円）÷純資産3,121,000百万円）×100≒169.4%

　　X2年度：固定比率＝（固定資産5,678,300＋繰延資産0百万円）÷純資産3,601,200百万円）×100≒157.7%

　　よって、固定比率からみた長期の安全性は、<u>X2年度</u>のほうが良好です。

【問9】 解答：④

（ア）　X2年度のインタレスト・カバレッジ・レシオは、事業利益÷（支払利息＋社債利息）で求めます。〈資料2〉〈資料3〉より、以下のとおりです。

　　持分法による投資利益は、〈資料3〉持分法による投資損益△2,500より、2,500百万円と判明します。よって、差額で受取利息＝6,000百万円となります。

　　事業利益＝営業利益（【問2】より）500,000百万円＋受取利息6,000百万円＋受取配当金1,200百万円＋持分法による投資利益2,500百万円＝509,700百万円

　　インタレスト・カバレッジ・レシオ＝事業利益509,700百万円÷支払利息及び社債利息35,000百万円≒14.6倍

（イ）　X1年度のインタレスト・カバレッジ・レシオは、〈資料2〉〈資料3〉より、以下のとおりです。

　　事業利益＝営業利益387,000百万円＋受取利息3,000百万円＋受取配当金1,000百万円＋持分法による投資利益2,600百万円＝393,600百万円

　　インタレスト・カバレッジ・レシオ＝事業利益393,600百万円÷支払利息及び社債利息29,000百万円≒13.6倍

　　よって、インタレスト・カバレッジ・レシオからみた金利支払能力は、X2年度のほうが高いです。

【問10】 解答：①

（ア）　ROE（自己資本当期純利益率）は、売上高当期純利益率×総資本回転率×財務レバレッジで求めます。売上高当期純利益率は、親会社株主に帰属する当期純利益を使用します。

よって、総資本回転率を高めると、ROEが高くなります。
（イ）　総資本回転率は、売上高÷総資本（負債純資産合計）で求めます。〈資料２〉より、以下のとおりです。

X1年度：総資本回転率＝売上高8,750,000百万円÷負債純資産7,800,000百万円≒1.1回

X2年度：総資本回転率＝売上高11,800,000百万円÷負債純資産8,600,000百万円≒1.4回

よって、総資本回転率からみると、X1年度よりもX2年度のほうが資本を有効活用していると判断できます。

【問11】　解答：②

（ア）　営業キャッシュ・フロー対流動負債比率は、営業キャッシュ・フロー÷流動負債×100で求めます。〈資料１〉〈資料３〉より、以下のとおりです。

X1年度：営業キャッシュ・フロー対流動負債比率＝営業活動によるキャッシュ・フロー596,000百万円÷流動負債778,000百万円×100≒76.6％

X2年度：営業キャッシュ・フロー対流動負債比率＝営業活動によるキャッシュ・フロー859,200百万円÷流動負債948,800百万円×100≒90.6％

よって、営業キャッシュ・フロー対流動負債比率は、両年度ともプラスです。

（イ）　営業キャッシュ・フロー対有利子負債比率は、営業活動によるキャッシュ・フロー÷有利子負債×100で求めます。有利子負債は、短期借入金＋リース債務＋社債＋長期借入金で求められます。〈資料１〉〈資料２〉より、以下のとおりです。

X1年度：有利子負債＝短期借入金140,000百万円＋流動負債のリース債務21,000百万円＋固定負債のリース債務36,000百万円＋社債1,600,000百万円＋長期借入金995,000百万円＝2,792,000百万円

営業キャッシュ・フロー対有利子負債比率
＝営業活動によるキャッシュ・フロー596,000百万円÷有利子負債2,792,000百万円×100≒21.3％

X2年度：有利子負債＝短期借入金145,000百万円＋流動負債のリース債務121,000百万円＋固定負債のリース債務830,000百万円＋社債1,400,000百万円＋長期借入金940,000百万円＝3,436,000百万円

営業キャッシュ・フロー対有利子負債比率
＝営業活動によるキャッシュ・フロー859,200百万円÷有

利子負債3,436,000百万円×100÷25.0%

よって、営業キャッシュ・フロー対有利子負債比率は、X2年度のほうが高いです。

【問12】解答：③

（ア）　フリー・キャッシュ・フローは、営業活動によるキャッシュ・フロー＋投資活動によるキャッシュ・フローで求めます。

　　　　よって、フリー・キャッシュ・フローがマイナスの場合、キュッシュの水準を維持するためには、財務キャッシュ・フローをプラスにする必要があります。

（イ）　売上高営業利益率は、営業利益÷売上高×100で求めます。〈資料2〉より、以下のとおりです。

X1年度：売上高営業利益率＝営業利益387,000百万円÷売上高8,750,000百万円×100÷4.4%

X2年度：売上高営業利益率＝営業利益（【問2】より）500,000百万円÷売上高11,800,000百万円×100÷4.2%

　　　　よって、売上高営業利益率は、X1年度のほうが良好です。

　　　　営業キャッシュ・フロー・マージンは、営業活動によるキャッシュ・フロー÷売上高×100で求めます。〈資料2〉〈資料3〉より、以下のとおりです。

X1年度：営業キャッシュ・フロー・マージン＝営業活動によるキャッシュ・フロー596,000百万円÷売上高8,750,000百万円×100÷6.8%

X2年度：営業キャッシュ・フロー・マージン＝営業活動によるキャッシュ・フロー859,200百万円÷売上高11,800,000百万円×100÷7.3%

　　　　よって、営業キャッシュ・フロー・マージンは、X2年度のほうが良好です。

【問13】解答：②

（ア）　売上に対する構成率からみたZ事業部の内部売上高への依存度は、Z事業部売上高合計に含まれるZ事業部内部売上高の割合で判断します。Z事業部内部売上高（セグメント間の内部営業収益又は振替高）÷Z事業部売上高合計（計）で求めます。〈資料4〉より、以下のとおりです。

X1年度：セグメント間の内部営業収益又は振替高42,000百万円÷計222,000百万円×100÷18.9%

X2年度：セグメント間の内部営業収益又は振替高46,000百万円÷計216,000百万円×100÷21.3%

　　　　よって、Z 事業部の売上の内部売上高への依存度は、X2 年度に増加しています。

（イ）　X2 年度のセグメント資産利益率は、セグメント利益又は損失÷セグメント資産×100 で求めます。〈資料 4 〉より、以下のとおりです。

　　　　X 事業部：セグメント資産利益率＝セグメント利益 520,000 百万円÷セグメント資産 6,280,000 百万円×100 ≒ 8.3％

　　　　Y 事業部：セグメント資産利益率＝セグメント利益 15,000 百万円÷セグメント資産 1,500,0000 百万円×100 ≒ 1.0％

　　　　Z 事業部：セグメント資産利益率＝セグメント利益 34,000 百万円÷セグメント資産 980,000 百万円×100 ≒ 3.5％

　　　　よって、X2 年度のセグメント資産利益率からみると、Y 事業は、他の事業と比較して投資効率が最も低いといえます。

【問14】　解答：②

　キャッシュ・コンバージョン・サイクルは、売上債権回転期間＋棚卸資産回転期間－仕入債務回転期間で求めます。

　売上債権回転期間は、売上債権（受取手形及び売掛金）÷（売上高÷365）で、棚卸資産回転期間は、棚卸資産÷（売上高÷365）で、仕入債務回転期間は、仕入債務（支払手形＋買掛金＋電子記録債務）÷（売上高÷365）で求められます。〈資料 1 〉〈資料 2 〉より、以下のとおりです。

X1 年度：売上債権回転期間＝受取手形及び売掛金（【問 1 】より）360,000 百万円÷（売上高 8,750,000 百万円÷365）≒ 15.0 日

　　　　　棚卸資産回転期間＝棚卸資産 250,000 百万円÷（売上高 8,750,000 百万円÷365）≒ 10.4 日

　　　　　仕入債務回転期間＝支払手形 0 百万円＋買掛金 300,000 百万円＋電子記録債務 0 百万円）÷（売上高 8,750,000 百万円÷365）≒ 12.5 日

　　　　　キャッシュ・コンバージョン・サイクル
　　　　　＝売上債権回転期間 15.0 日＋棚卸資産回転期間 10.4 日－仕入債務回転期間 12.5 日＝ 12.9 日→ 13 日

X2 年度：売上債権回転期間＝受取手形及び売掛金 420,000 百万円÷（売上高 11,800,000 百万円÷365）≒ 13.0 日

　　　　　棚卸資産回転期間＝棚卸資産 280,000 百万円÷（売上高 11,800,000 百万円÷365）≒ 8.7 日

　　　　　仕入債務回転期間＝支払手形 0 百万円＋買掛金 350,000 百万円＋電子記録債務 0 百万円）÷（売上高 11,800,000

百万円÷365）÷10.8日

キャッシュ・コンバージョン・サイクル

＝売上債権回転期間13.0日＋棚卸資産回転期間8.7日－仕入債
務回転期間10.8日＝10.9日→11日

　よって、キャッシュ・コンバージョン・サイクルは、X1年度13日、X2
年度11日であり、X2年度のほうが営業循環過程における資金収支の効
率が高いと判断できます。なお、回転期間は、365÷回転率でも求めら
れます（P.229【問8】参照）。

【問15】 解答：①

（ア）　設備投資額は、有形固定資産の取得による支出－有形固定資産
の売却による収入で求められます。〈資料3〉より、以下のとおり
です。

　　X1年度：設備投資額＝有形固定資産の取得による支出330,000百万
円－有形固定資産の売却による収入140,000
百万円＝190,000百万円

　　　　　　長期資金の純増減額＝長期借入れによる収入800,000百万
円＋長期借入金の返済による支出
△255,000百万円＝545,000百万円

　　X2年度：設備投資額＝有形固定資産の取得による支出598,700百万
円－有形固定資産の売却による収入20,000
百万円＝578,700百万円

　　　　　　長期資金の純増減額＝長期借入れによる収入205,000百万
円＋長期借入金の返済による支出
△260,000百万円＝△55,000百万円

　　よって、キャッシュ・フローからみた設備投資額は、X1年度は返
済義務のある長期調達資金の純増減額でカバーできていますが、
X2年度はカバーできていません。

（イ）　設備投資額対キャッシュ・フロー比率は、設備投資額÷営業活
動によるキャッシュ・フロー×100で求めます。〈資料3〉より、以
下のとおりです。

　　X1年度：設備投資額対キャッシュ・フロー比率＝設備投資額190,000
百万円÷営業活動によるキャッシュ・フロー596,000百万
円×100≒31.9％

　　X2年度：設備投資額対キャッシュ・フロー比率＝設備投資額578,700
百万円÷営業活動によるキャッシュ・フロー859,200百万
円×100≒67.4％

　　よって、設備投資額対キャッシュ・フロー比率は、複数年にわ
たり100％を超えた場合に過剰投資を懸念する必要がありますが、
両年度ともに過剰投資の可能性は低いといえます。

解答・解説②

Ⅰ

【問1】解答：①

棚卸資産の評価に関する出題では、とくに、低価法が採用されることと、時価として正味売却価額を用いることを押さえておきましょう。なお、償却原価法は、社債の発行会社においても適用されます。

【問2】解答：③

（ア）　直接所有25％と子会社Ｓ社による間接所有35％をあわせて、Ａ社の議決権の60％を所有しているため、Ａ社はＰ社の子会社に該当します。

【問3】解答：①

非連結子会社には、原則として持分法が適用されます。なお、非連結子会社と関連会社のうち、連結財務諸表に与える影響が小さい場合には、持分法が適用されないことがあります。

【問4】解答：②

（イ）　直接法と間接法の区分は、営業活動によるキャッシュ・フローの表示方法にかかわるものです。投資活動によるキャッシュ・フローや財務活動によるキャッシュ・フローの表示方法とは関係がありません。なお、投資活動によるキャッシュ・フローと財務活動によるキャッシュ・フローは、収入の項目と支出の項目を相殺せず、総額で表示することが原則です。

【問5】解答：④

（ア）　経営者の過去における意思決定の成果が、キャッシュ・フローの面でどのように結実したのかが判断できるのは、営業活動によるキャッシュ・フローです。

（イ）　どのキャッシュ・フロー区分にも属さない活動によるキャッシュ・フローは、営業活動によるキャッシュ・フローの区分の小計欄より下に表示されます。

【問6】解答：②

（ア）　預入日から満期日までの期間が1か月の定期預金は、現金同等物に該当します。預入れは、現金及び現金同等物のなかでの変動であるため、キャッシュ・フロー計算書には表示されません。

（イ）　預入日から満期日までの期間が1年の定期預金の満期による収入は、投資活動によるキャッシュ・フローの区分に表示されます。

【問7】 解答：③

（ア）　株主資本の変動には、資本金や資本剰余金の変動など、<u>損益計算書には反映されない</u>ものがあります。

【問8】 解答：①

（イ）　連結子会社のうち、当期純利益が赤字（マイナス）の会社がある場合には、当期純利益の連単倍率が1倍未満となることがあります。

【問9】 解答：④

（ア）　配当性向が100％未満であるということは、「配当総額＜当期純利益」であることを意味します。このときには、<u>株式益回りは配当利回りより大きくなります</u>。

（イ）　PBRは株価純資産倍率です。<u>株価水準によっては、1倍を下回ることがあります</u>。

II

【問1】 解答：②

　金融商品取引法による開示書類の分類について問う問題です。発行市場、流通市場という語句も押さえておきましょう。

【問2】 解答：②

　負債の定義について問う問題です。法律上の債務との関係からは、「確定債務」「条件付債務」「法的債務でない負債」に分類されることを理解しましょう。また、貸倒引当金は評価性引当金であり、負債にはあたりません。

【問3】 解答：③

　持分法の定義に関する典型的な問題です。確実に押さえておきましょう。

【問4】 解答：③

　定期預金は期限の定めがあるため、要求払預金には該当しません。ただし、預入日から満期日までの期間が短いもの（通常は3か月以内）については、現金同等物としてキャッシュの範囲に含まれます。

【問5】 解答：③

（ア）　資本集約率＝総資産÷従業員数
　　　総資産＝流動資産36,000百万円＋有形固定資産48,000百万円＋

無形固定資産2,000百万円＋投資その他の資産10,000
百万円＋繰延資産0百万円＝96,000百万円
資本集約率＝総資産96,000百万円÷従業員数1,200人＝80百万円
（イ）　労働装備率＝有形固定資産48,000百万円÷従業員数1,200人＝40
百万円

【問6】　解答：④

臨時報告書には、通常、<u>財務諸表は含まれません</u>。

【問7】　解答：③

株主資本等変動計算書は、<u>半期での開示は求められていません</u>。なお、半期報告書では、連結財務諸表を開示している場合には、個別財務諸表の開示は必要ありません。

【問8】　解答：③

当期純利益は<u>損益計算書</u>の項目です。また、非支配株主持分と新株予約権は純資産の項目ですが、<u>株主資本とは独立した項目</u>として表示されます。

【問9】　解答：①

連結損益計算書の収益認識の最終ステップは、<u>履行義務の充足による収益の認識</u>です。原価回収基準は、進捗度を合理的に<u>見積もることができない場合</u>の収益の認識方法です。売上原価には、個別損益計算書とは異なり、明細は表示されません。売上割引は、<u>営業外費用の項目</u>です。有価証券売却損は営業外費用ですが、投資有価証券売却損は<u>特別損失</u>の項目です。

【問10】　解答：③

その他有価証券評価差額金と新株予約権は<u>株主資本の項目ではない</u>ため、その増減は株主資本の変動には該当しません。

【問11】　解答：⑤

有形固定資産売却益と棚卸資産の増加額は、<u>税金等調整前当期純利益に対して減算の調整を行う</u>ため該当しません。なお、支払利息は、連結損益計算書に計上されている支払利息の金額を税金等調整前当期純利益に加算します。この加算を行ったのち、資金収支ベースでの実際の利払額を「利息の支払額」という支出項目により記載します。

Ⅲ

【問1】 解答：③

X2年度の固定資産の部の貸倒引当金は、X1年度との増減額より求められます。〈資料1〉〈資料5〉より、以下のとおりです。

X1年度の貸倒引当金＝X1年度の流動資産の部の貸倒引当金△80百万
円＋X1年度の固定資産の部の貸倒引当金△30
百万円－X2年度の貸倒引当金の増減額40百万
円＝△150百万円

X2年度の固定資産の部の貸倒引当金＝X1年度の貸倒引当金△150百万
円－X2年度の流動資産の部の
貸倒引当金△100百万円＝△50
百万円

【問2】 解答：②

法人税等調整額＝法人税等合計1,090百万円－法人税、住民税及び事業税1,270百万円＝△180百万円

【問3】 解答：①

営業活動によるキャッシュ・フローを間接法により表示する場合には、費用の金額を税金等調整前当期純利益に加算して調整します。

〈資料2〉より、固定資産廃棄損80であることから、連結キャッシュ・フロー計算書にも、80と表示されます。

【問4】 解答：④

X2年度の仕入債務の増減額は、支払手形及び買掛金の増減額より求められます。〈資料1〉〈資料5〉より、以下のとおりです。

X2年度の仕入債務の増減額＝X2年度の支払手形及び買掛金7,000
百万円－X1年度の支払手形及び買掛
金6,600百万円＝400百万円

【問5】 解答：②

X2年度の減価償却費は、〈資料5〉の減価償却費8,850（百万円）が該当します。

【問6】 解答：⑤

X1年度の現金及び現金同等物は、〈資料5〉の現金及び現金同等物の期末残高11,320（百万円）が該当します。

【問7】 解答：④

（ア） ネットキャッシュは、手元流動性（手元資金）－有利子負債で求

めます。
（イ）　X2年度の手元流動性（手元資金）は、現金及び預金＋流動資産の
有価証券で求めます。有利子負債は、長期借入金＋短期借入金＋流
動負債のリース債務＋固定負債のリース債務＋社債で求められま
す（本問では社債はありません）。〈資料1〉より、以下のとおりです。
　　　手元流動性＝現金及び預金18,900百万円＋流動資産の有価証券
1,250百万円＝20,150百万円
　　　有利子負債＝長期借入金34,000百万円＋短期借入金950百万円＋
流動負債のリース債務4,000百万円＋固定負債のリ
ース債務22,750百万円＝61,700百万円
　　　ネットキャッシュ＝手元流動性20,150百万円－61,700百万円＝
△41,550百万円

【問8】解答：①
（ア）　仕入債務回転率が低いほど仕入債務回転期間が長くなるため、
短期資金繰りにはプラスになります。
（イ）　仕入債務回転率は、売上高÷仕入債務（支払手形＋買掛金＋電
子記録債務）で求めます。〈資料1〉〈資料2〉より、以下のとおり
です。
　　　X1年度：仕入債務回転率＝売上高183,000百万円÷（支払手形及
び買掛金6,600百万円＋電子記録債務
0百万円）＝27.7回
　　　X2年度：仕入債務回転率＝売上高211,400百万円÷（支払手形及
び買掛金7,000百万円＋電子記録債務
0百万円）＝30.2回
　　　よって、仕入債務回転率は、X2年度のほうが高いです。

【問9】解答：①
（ア）　手元流動性は、大きいほど、債務返済に充てられる資金が現預
金と有価証券の保有によって確保されることを意味します。
　　　よって、手元流動性が大きいほど、支払い能力が高いと判断で
きます。
（イ）　手元流動性比率は、手元流動性÷（売上高÷12）で求めます。〈資
料1〉〈資料2〉より、以下のとおりです。
　　　X1年度：手元流動性＝現金及び預金11,620百万円＋流動資産の
有価証券300百万円＝11,920百万円
　　　　　　　手元流動性比率＝手元流動性11,920百万円÷（売上高
183,000百万円÷12）≒0.8月
　　　X2年度：手元流動性比率＝手元流動性（【問7】（イ）より）
20,150百万円÷（売上高211,400百万円
÷12）≒1.1月

　　　　　よって、手元流動性比率は、X2年度のほうが大きいです。

【問10】 解答：④

（ア）　当座比率は、当座資産÷流動負債×100で求めます。流動比率は、流動資産÷流動負債×100で求めます。当座資産は、流動資産－棚卸資産－その他の流動資産で求められます。

　　　　　よって、当座比率の値は、分子が小さくなるため流動比率よりも<u>小さく</u>なります。

（イ）　〈資料1〉より、以下のとおりです。

　　　　　X1年度：当座資産＝流動資産21,780百万円－棚卸資産（商品）2,410百万円－その他2,890百万円

　　　　　　　　　当座比率＝当座資産16,480百万円÷流動負債15,950百万円×100≒103.3％

　　　　　X2年度：当座資産＝流動資産29,810百万円－棚卸資産（商品）2,520百万円－その他25,210百万円

　　　　　　　　　当座比率＝当座資産25,210百万円÷流動負債19,250百万円×100≒131.0％

　　　　　よって、当座比率からみると、X2年度のほうが短期の安全性が<u>高い</u>と判断できます。

【問11】 解答：①

（ア）　経営資本営業利益率は、営業利益÷経営資本×100で求めます。経営資本は、総資産（資産）－（投資その他の資産＋建設仮勘定＋繰延資産）で求められます（本問では建設仮勘定と繰延資産はありません）。〈資料1〉〈資料2〉より、以下のとおりです。

　　　　　X2年度：経営資本＝資産138,200百万円－投資その他の資産6,800百万円＝131,400百万円

　　　　　　　　　経営資本営業利益率＝営業利益3,300百万円÷経営資本131,400百万円×100≒2.5％

　　　　　X3年度の経営資本営業利益率がX2年度より1.0％増加すると、以下のとおりです。

　　　　　経営資本営業利益率＝2.5％＋1.0％＝3.5％

　　　　　営業利益＝経営資本（設問の条件より）131,400百万円×経営資本営業利益率3.5％＝4,599百万円

　　　　　X3年度営業利益4,599百万円－X2年度営業利益3,300百万円＝1,299百万円

　　　　　よって、X3年度の経営資本営業利益率をX2年度より1.0％増加させるためには、営業利益を1,299百万円増加させる必要があります。

（イ）　限界利益は、売上高－変動費で求めます。〈資料2〉より、以下のとおりです。

X2年度：変動費＝売上原価92,100百万円＋販売費及び一般管理
費116,000百万円×（設問の条件より）5％＝
97,900百万円

変動費率＝変動費97,900百万円÷売上高211,400百万円
≒46％（小数点以下切り捨て）

X3年度：変動費＝売上高232,000百万円×変動費率（設問の条件
より）46％＝106,720百万円

限界利益＝売上高232,000百万円−変動費106,720百万円
＝125,280百万円

よって、X3年度の売上高を232,000百万円とした場合、限界利益
は125,280百万円になります。

【問12】解答：①

（ア）　株価キャッシュ・フロー倍率は、1株当たり株価÷1株当たり
キャッシュ・フローで求めます。株価収益率は、1株当たり株価÷
1株当たり当期純利益で求めます。

会計処理方法には、減価償却のように複数の計算方法が認めら
れているものがあります。減価償却の方法が違う可能性のある企
業間の比較では、当期純利益で計算する株価キャッシュ・フロー
倍率よりも、株価キャッシュ・フロー倍率のほうが適していると
いえます。

（イ）　〈資料5〉〈資料6〉により、以下のとおりです。

X1年度：1株当たりキャッシュ・フロー＝営業活動によるキャ
ッシュ・フロー10,230百万円÷期末発行済株式数（自己
株式控除後の株式数）50百万株＝204.6円

株価キャッシュ・フロー倍率＝1株当たり株価（期末株
価）100円÷1株当たりキャッシュ・フロー204.6円≒0.5倍

X2年度：1株当たりキャッシュ・フロー＝営業活動によるキャッ
シュ・フロー13,940百万円÷期末発行済株式数（自己株
式控除後の株式数）50百万株＝278.8円

株価キャッシュ・フロー倍率＝1株当たり株価（期末株
価）250円÷1株当たりキャッシュ・フロー278.8円≒0.9倍

よって、株価キャッシュ・フロー倍率は、X2年度のほうが大きい
です。

【問13】解答：②

（ア）　株式益回りは、1株当たり当期純利益÷1株当たり株価×100
で求めます。PER（株価収益率）は、1株当たり株価÷1株当たり
当期純利益で求めます。

よって、株式益回りは、PERの逆数で表されます。

（イ）　財務レバレッジは、総資本÷自己資本（純資産）で求めます。負債比率は、負債÷純資産×100で求めます。

よって、財務レバレッジは、負債比率の逆数で表されません。なお、自己資本÷総資本×100で、自己資本比率が求められます。

Ⅳ

【問1】 解答：①

（ア）　一行連結とは持分法のことで、通常の連結との対比を表す呼び方です。連結損益計算書に固有の項目として、持分法による投資利益（持分法による投資損失）があることから、B社は、持分法対象（一行連結対象）の会社を有しています。

（イ）　デリバティブ取引について、ヘッジ会計を行った場合のデリバティブ取引の評価差額などは、繰延ヘッジ損益に計上します。〈資料1〉に「繰延ヘッジ損益」の項目があります。

よって、B社は、デリバティブ取引を行っており、ヘッジ会計で処理しています。

【問2】 解答：①

（ア）　一時差異とは、所得となるタイミングの違いにより生まれる企業会計上の利益と所得との差をいいます。所得に対して、一時差異などに関する金額を加算・減算して法人税等の実際の課税額が計算されます。〈資料2〉に「法人税等調整額」があります。

よって、A社には、企業会計上の利益と課税所得計算上の所得に一時差異が存在します。

（イ）　減価償却超過額は、税法で認められている減価償却限度額を超えて減価償却費を計上した差額をいいます。

減価償却超過額がある場合には、一時差異が生じ、実際の課税額は利益に対して過大になります。この場合には、税金の前払いが行われていると考え、繰延税金資産が計上されます。

【問3】 解答：③

（ア）　X1年度の損益分岐点売上高は、固定費（販売費及び一般管理費）÷限界利益率で求めます。〈資料2〉より、以下のとおりです。

設問の条件より、変動費は、売上原価＋（販売費及び一般管理費×10％）、固定費は、販売費及び一般管理費×（100％ － 10％）です。

変動費＝売上原価20,000百万円＋（販売費及び一般管理費19,600百万円×10％）＝21,960百万円

固定費＝販売費及び一般管理費19,600百万円×90％＝17,640
　　　百万円

限界利益率は、限界利益÷売上高×100で求めます。限界利益
は、売上高－変動費で求められます。

限界利益＝売上高39,000百万円－変動費21,960百万円＝17,040
　　　百万円

限界利益率＝限界利益17,040百万円÷売上高39,000百万円×100
　　　≒43.7％

損益分岐点売上高＝固定費17,640百万円÷限界利益率43.7％≒
　　　40,366百万円（小数点以下切り捨て）

よって、X1年度の損益分岐点売上高は、40,000円以上です。

（イ）　損益分岐点比率は、損益分岐点売上高÷売上高×100で求めま
す。〈資料2〉より、以下のとおりです。

X1年度：損益分岐点比率＝損益分岐点売上高40,373.2百万円÷売
　　　上高39,000百万円×100≒103.5％

X2年度：変動費＝売上原価22,000百万円＋（販売費及び一般管理
　　　費34,000百万円×10％）＝25,400百万円

固定費＝販売費及び一般管理費34,000百万円×90％＝
　　　30,600百万円

限界利益＝売上高58,000百万円－変動費25,400百万円＝
　　　32,600百万円

限界利益率＝限界利益32,600百万円÷売上高58,000百万
　　　円×100≒56.2％

損益分岐点売上高＝固定費30,600百万円÷限界利益率
　　　56.2％≒54,448百万円（小数点以下
　　　切り捨て）

損益分岐点比率＝損益分岐点売上高54,448百万円÷売
　　　上高58,000百万円×100≒93.9％

よって、損益分岐点比率からみると、X2年度のほうが安全性が
高いと判断できます。

【問4】　解答：③

財務レバレッジは、総資本（負債純資産合計）÷自己資本（純資産）
で求めます。〈資料1〉より、以下のとおりです。

X1年度：財務レバレッジ＝負債純資産51,000百万円÷純資産33,300
　　　百万円≒1.53倍

X2年度：財務レバレッジ＝負債純資産54,700百万円÷純資産36,800
　　　百万円≒1.49倍

よって、X1年度の財務レバレッジは1.53倍であり、X2年度よりも高い

です。

【問5】 解答：③

　自己資本当期純利益はROEとも呼ばれます。X1年度の自己資本当期
純利益率は、親会社株主に帰属する当期純利益÷自己資本（純資産）
×100で求めます。〈資料1〉〈資料2〉より、以下のとおりです。

$$自己資本当期純利益率＝親会社株主に帰属する当期純利益1,180百万円$$
$$÷純資産33,300百万円×100÷3.5\%$$

【問6】 解答：③

（ア）　資本市場からみた企業の経済的価値は、時価総額で表されま
す。時価総額は、1株当たり株価×発行済株式総数で求めます。な
お、問題Ⅳの冒頭に、「時価総額は、自己株式を控除する前の株
式数で計算すること」とあります。〈資料4〉より、以下のとおり
です。

　　　X1年度：時価総額＝1株当たり株価1,090円×発行済株式総数41
　　　　　　　百万株＝44,690円

　　　X2年度：時価総額＝1株当たり株価1,080円×発行済株式総数41
　　　　　　　百万株＝44,280円

　よって、A社の資本市場における経済的価値は、X2年度に減少
しています。なお、本問では自己株式数は記載されていませんが、
検定試験では記載されている場合もあります。確認漏れのないよ
うに注意してください。

（イ）　資本市場からみた企業の解散価値は、1株当たり純資産で表さ
れます。X2年度の1株当たり純資産は、純資産÷発行済株式数（自
己株式を控除する前の株式数）で求めます。〈資料1〉〈資料4〉よ
り、以下のとおりです。

　　　1株当たり純資産＝純資産36,800百万円÷発行済株式数41百万
　　　　　　　株÷897.6円

　1株当たり純資産に対して株価が何倍となっているかは、株価
純資産倍率で表されます。

　X2年度の株価純資産倍率は、1株当たり株価÷1株当たり純資
産で求めます。〈資料4〉より、以下のとおりです。

　　　株価純資産倍率＝1株当たり株価1,080円÷1株当たり純資産
　　　　　　　897.6円÷1.2倍

　株価純資産倍率は1を超えています。この場合、X2年度末にA社
が解散した場合、同日にA社の株を1,080円で購入していた者は、
897.6円しか分配を受けられません。よって、株価純資産倍率が1
を超えている場合には、株主は損失を被ることになります。

【問7】 解答：③

　　配当性向は、配当金総額÷親会社株主に帰属する当期純利益×100
で求めます。〈資料2〉〈資料4〉より、以下のとおりです。

　　X1年度：配当金総額＝発行済株式数41百万株×1株当たり配当額4
　　　　　　　　　　円＝164百万円

　　　　　　配当性向＝配当金総額164百万円÷親会社株主に帰属する当
　　　　　　　　　　期純利益1,180百万円×100≒13.9%

　　X2年度：配当金総額＝発行済株式数41百万株×1株当たり配当額2
　　　　　　　　　　円＝82百万円

　　　　　　配当性向＝配当金総額82百万円÷親会社株主に帰属する当
　　　　　　　　　　期純利益380百万円×100≒21.6%

　　配当性向が高いほど、株主に対する還元が高いといえます。よって、
X2年度は、X1年度と比較して株主に対する還元を増加させているとい
えます。

【問8】 解答：④

（ア）　株主総利回りは、（当事業年度末日の株価＋分析対象第1年度
　　　から当事業年度までの1株当たり配当額の累計額）÷分析対象第
　　　1年度の前年度末日の株価×100で求めます。X2年度末までの2年
　　　間の株主総利回りは、（X2年度末日の株価＋X1年度からX2年度ま
　　　での1株当たり配当額の累計額）÷X0年度末日の株価×100で求め
　　　ます。〈資料4〉より、以下のとおりです。

　　　　株主総利回り＝（X2年度の1株当たり株価1,080円＋X1年度の1
　　　　　　　　　　株当たり配当額4円＋X2年度の1株当たり配当
　　　　　　　　　　額2円）÷X0年度の1株当たり株価456円×100
　　　　　　　　　　≒238.2%

　　　　よって、X2年度末までの2年間の株主総利回りは、300%未満で
　　　す。

（イ）　配当利回りは、1株当たり配当額÷1株当たり株価×100で求
　　　めます。〈資料4〉より、以下のとおりです。

　　　　X1年度：配当利回り＝1株当たり配当額4円÷1株当たり株価
　　　　　　　　　　1,090円×100≒0.4%

　　　　X2年度：配当利回り＝1株当たり配当額2円÷1株当たり株価
　　　　　　　　　　1,080円×100≒0.2%

　　　　よって、X1年度の配当利回りは、X2年度の配当利回りの約2倍
　　　です。

【問9】 解答：③

（ア）　EPS（1株当たり当期純利益）は、親会社株主に帰属する当期純
　　　利益÷発行済株式数で求めます。〈資料2〉〈資料4〉より、以下

のとおりです。

　　　X1年度：EPS＝親会社株主に帰属する当期純利益1,180百万円÷
　　　　　　　　発行済株式数41百万株≒28.8円

　　　X2年度：EPS＝親会社株主に帰属する当期純利益380百万円÷発
　　　　　　　　行済株式数41百万株≒9.3円

　　よって、X2年度には、EPSが<u>減少</u>しています。

（イ）　BPS（1株当たり純資産）は、純資産÷発行済株式数で求めま
　　す。〈資料1〉〈資料4〉より、以下のとおりです。

　　　X1年度：BPS＝純資産33,300百万円÷発行済株式数41百万株≒
　　　　　　　　812.2円

　　　X2年度：BPS＝純資産36,800百万円÷発行済株式数41百万株≒
　　　　　　　　897.6円

　　よって、X2年度には、BPSが増加しています。

連　結　貸　借　対　照　表

（単位：百万円）

	前連結会計年度 （2022年3月31日）	当連結会計年度 （2023年3月31日）
資産の部		
流動資産		
現金及び預金	1,206,506	1,263,666
受取手形及び売掛金	141,087	119,932
有価証券	504,385	615,699
棚卸資産	204,183	258,628
その他	70,147	56,822
貸倒引当金	△ 98	△ 236
流動資産合計	2,126,212	2,314,513
固定資産		
有形固定資産		
建物及び構築物（純額）	42,571	45,451
工具、器具及び備品（純額）	4,498	5,229
機械装置及び運搬具（純額）	1,477	1,520
土地	35,337	40,995
建設仮勘定	1,280	6,311
**　有形固定資産合計**	85,164	99,509
無形固定資産		
ソフトウエア	10,241	10,205
その他	7,073	8,390
**　無形固定資産合計**	17,315	18,595
投資その他の資産		
投資有価証券	312,663	276,253
退職給付に係る資産	8,597	8,911
繰延税金資産	87,996	103,670
その他	24,434	32,830
**　投資その他の資産合計**	433,692	421,666
**　固定資産合計**	536,172	539,770
**　資産合計**	2,662,384	2,854,284

	前連結会計年度 （2022年3月31日）	当連結会計年度 （2023年3月31日）
負債の部		
流動負債		
支払手形及び買掛金	150,910	149,217
前受金	131,139	160,758
賞与引当金	5,459	4,219
未払法人税等	99,520	82,550
その他	153,696	136,734
流動負債合計	540,726	533,480
固定負債		
取締役報酬引当金	—	133
退職給付に係る負債	25,063	23,084
その他	27,284	31,119
固定負債合計	52,347	54,337
負債合計	593,074	587,818
純資産の部		
株主資本		
資本金	10,065	10,065
資本剰余金	15,041	15,079
利益剰余金	2,198,706	2,392,704
自己株式	△ 220,343	△ 271,049
株主資本合計	2,003,469	2,146,798
その他の包括利益累計額		
その他有価証券評価差額金	33,199	28,028
為替換算調整勘定	32,373	91,406
その他の包括利益累計額合計	65,573	119,435
非支配株主持分	266	232
純資産合計	2,069,310	2,266,466
負債純資産合計	2,662,384	2,854,284

出典：EDINET「任天堂株式会社有価証券報告書」

連　結　損　益　計　算　書

（単位：百万円）

	前連結会計年度 （自 2021年4月1日 至 2022年3月31日）	当連結会計年度 （自 2022年4月1日 至 2023年3月31日）
売上高	1,695,344	1,601,677
売上原価	749,299	716,237
売上総利益	946,044	885,440
販売費及び一般管理費	353,283	381,065
営業利益	592,760	504,375
営業外収益		
受取利息	3,317	25,499
持分法による投資利益	26,672	26,599
為替差益	45,626	39,720
その他	3,169	5,514
営業外収益合計	78,786	97,333
営業外費用		
支払利息	281	122
有価証券売却損	42	121
投資有価証券評価損	—	362
その他	409	30
営業外費用合計	733	637
経常利益	670,813	601,070
特別利益		
固定資産売却益	1	48
投資有価証券売却益	347	20
受取和解金	3,300	—
特別利益合計	3,648	68
特別損失		
固定資産処分損	73	382
特別損失合計	73	382
税金等調整前当期純利益	674,389	600,757
法人税、住民税及び事業税	200,469	180,110
法人税等調整額	△ 3,794	△ 12,153
法人税等合計	196,674	167,957
当期純利益	477,714	432,800
非支配株主に帰属する当期純利益	22	32
親会社株主に帰属する当期純利益	477,691	432,768

出典：EDINET「任天堂株式会社有価証券報告書」

連 結 包 括 利 益 計 算 書

（単位：百万円）

	前連結会計年度 （自 2021年4月1日 至 2022年3月31日）	当連結会計年度 （自 2022年4月1日 至 2023年3月31日）
当期純利益	477,714	432,800
その他の包括利益		
その他有価証券評価差額金	△ 417	△ 5,068
為替換算調整勘定	49,777	51,814
持分法適用会社に対する持分相当額	3,424	7,115
その他の包括利益合計	52,784	53,861
包括利益	530,498	486,661
（内訳）		
親会社株主に係る包括利益	530,476	486,629
非支配株主に係る包括利益	22	32

出典：EDINET「任天堂株式会社有価証券報告書」

連絡株主資本等変動計算書

前連絡会計年度（自 2021年4月1日　至 2022年3月31日）　　　　　　　　　（単位：百万円）

	株主資本				
	資本金	資本剰余金	利益剰余金	自己株式	株主資本合計
当期首残高	10,065	15,043	1,993,325	△ 156,851	1,861,582
当期変動額					
剰余金の配当			△ 240,702		△ 240,702
親会社株主に帰属する当期純利益			477,691		477,691
自己株式の取得				△ 95,100	△ 95,100
自己株式の処分					―
自己株式の消却		△ 1	△ 31,607	31,608	―
株主資本以外の項目の当期変動額（純額）					―
当期変動額合計	―	△ 1	205,380	△ 63,492	141,887
当期末残高	10,065	15,041	2,198,706	△ 220,343	2,003,469

	その他の包括利益累計額			非支配株主持分	純資産合計
	その他有価証券評価差額金	為替換算調整勘定	その他の包括利益累計額合計		
当期首残高	33,571	△ 20,782	12,788	243	1,874,614
当期変動額					
剰余金の配当					△ 240,702
親会社株主に帰属する当期純利益					477,691
自己株式の取得					△ 95,100
自己株式の処分					―
自己株式の消却					―
株主資本以外の項目の当期変動額（純額）	△ 371	53,156	52,784	22	52,807
当期変動額合計	△ 371	53,156	52,784	22	194,695
当期末残高	33,199	32,373	65,573	266	2,069,310

256

当連絡会計年度（自 2022年4月1日　至 2023年3月31日）　　　　　　　　（単位：百万円）

	株主資本				
	資本金	資本剰余金	利益剰余金	自己株式	株主資本合計
当期首残高	10,065	15,041	2,198,706	△ 220,343	2,003,469
当期変動額					
剰余金の配当			△ 238,770		△ 238,770
親会社株主に帰属する当期純利益			432,768		432,768
自己株式の取得				△ 50,725	△ 50,725
自己株式の処分		37		19	56
自己株式の消却					—
株主資本以外の項目の当期変動額（純額）					
当期変動額合計	—	37	193,997	△ 50,705	143,329
当期末残高	10,065	15,079	2,392,704	△ 271,049	2,146,798

	その他の包括利益累計額			非支配株主持分	純資産合計
	その他有価証券評価差額金	為替換算調整勘定	その他の包括利益累計額合計		
当期首残高	33,199	32,373	65,573	266	2,069,310
当期変動額					
剰余金の配当					△ 238,770
親会社株主に帰属する当期純利益					432,768
自己株式の取得					△ 50,725
自己株式の処分					56
自己株式の消却					—
株主資本以外の項目の当期変動額（純額）	△ 5,171	59,032	53,861	△ 34	53,827
当期変動額合計	△ 5,171	59,032	53,861	△ 34	197,156
当期末残高	28,028	91,406	119,435	232	2,266,466

出典：EDINET「任天堂株式会社有価証券報告書」

257

連結キャッシュ・フロー計算書

(単位：百万円)

	前連結会計年度 （自 2021年4月1日 至 2022年3月31日）	当連結会計年度 （自 2022年4月1日 至 2023年3月31日）
営業活動によるキャッシュ・フロー		
税金等調整前当期純利益	674,389	600,757
減価償却費	10,527	11,040
貸倒引当金の増減額（△は減少）	△ 37	74
受取利息及び受取配当金	△ 4,525	△ 27,369
為替差損益（△は益）	△ 57,324	△ 54,260
持分法による投資損益（△は益）	△ 26,672	△ 26,599
売上債権の増減額（△は増加）	8,134	31,513
棚卸資産の増減額（△は増加）	△ 84,563	△ 45,792
仕入債務の増減額（△は減少）	25,125	9,025
退職給付に係る負債の増減額（△は減少）	2,575	△ 3,826
未払消費税等の増減額（△は減少）	△ 1,824	△ 358
その他	3,307	△ 6,070
小計	549,112	488,134
利息及び配当金の受取額	4,862	24,455
利息の支払額	△ 281	△ 131
法人税等の支払額	△ 264,031	△ 189,615
営業活動によるキャッシュ・フロー	289,661	322,843

（単位：百万円）

	前連結会計年度 （自 2021年4月1日 至 2022年3月31日）	当連結会計年度 （自 2022年4月1日 至 2023年3月31日）
投資活動によるキャッシュ・フロー		
有価証券及び投資有価証券の取得による支出	△ 943,319	△ 724,691
有価証券及び投資有価証券の売却及び償還による収入	1,015,200	729,907
有形及び無形固定資産の取得による支出	△ 7,587	△ 22,190
有形及び無形固定資産の売却による収入	7	94
定期預金の預入による支出	△ 354,500	△ 580,310
定期預金の払戻による収入	383,921	708,299
その他	△ 21	398
投資活動によるキャッシュ・フロー	93,699	111,507
財務活動によるキャッシュ・フロー		
自己株式の取得による支出	△ 95,350	△ 50,733
配当金の支払額	△ 240,560	△ 238,700
その他	△ 1,099	△ 1,540
財務活動によるキャッシュ・フロー	△ 337,010	△ 290,973
現金及び現金同等物に係る換算差額	44,288	28,474
現金及び現金同等物の増減額（△は減少）	90,638	171,851
現金及び現金同等物の期首残高	932,079	1,022,718
現金及び現金同等物の期末残高	1,022,718	1,194,569

出典：EDINET「任天堂株式会社有価証券報告書」

259

財務指標	計算式
基本分析・百分比財務諸表分析	
貸借対照表構成比率(%)	貸借対照表の各項目の金額÷資産合計(または負債純資産合計)×100
損益計算書百分比(%)	損益計算書の各項目の金額÷売上高×100
成長性分析・時系列分析	
対前年度比率(%)	分析対象項目の対象年度の数値÷対象項目の前年度の数値×100
伸び率(%)または増減率(%)	対前年度比率−100
	分析対象項目の数値の前年度からの増減値(当年度−前年度)÷対象項目の前年度の数値×100
対基準年度比率(%)	分析対象項目の対象年度の数値÷対象項目の基準年度の数値×100
安全性分析：短期の安全性分析	
流動比率(%)	流動資産÷流動負債×100
当座比率(%)	(流動資産−棚卸資産)÷流動負債×100
	当座資産÷流動負債×100
当座資産(円)	流動資産−棚卸資産−その他の流動資産
手元流動性(円)	現金及び預金＋流動資産の有価証券
手元流動性比率(月)	手元流動性÷(売上高 ÷12)
正味運転資本(円)	流動資産−流動負債
ネットキャッシュ(円)	手元流動性−有利子負債
有利子負債(円)	長期借入金＋短期借入金＋リース債務＋社債
インタレスト・カバレッジ・レシオ(倍)	事業利益÷(支払利息＋社債利息)
安全性分析：長期の安全性分析	
固定比率(%)	(固定資産＋繰延資産)÷純資産×100
固定長期適合率(%)	(固定資産＋繰延資産)÷(純資産＋固定負債)×100
負債比率(%)	負債÷純資産×100
自己資本比率(%)	自己資本(または純資産)÷負債純資産合計(または総資本)×100

260

財務指標	計算式
収益性分析	
資本利益率（％）	利益÷投下資本×100
	（利益÷売上高）×100×（売上高÷投下資本）
総資本利益率 （ROI）（％）また は総資産利益率 （ROA）（％）	利益÷総資本または総資産×100
総資本経常利益率 （％）	経常利益÷総資本（または総資産）×100
総資本営業利益率 （％）	営業利益÷総資本（または総資産）×100
総資本経常利益率 （％）	経常利益÷総資本（または総資産）×100
総資本経常利益率 （％）	（経常利益÷売上高）×100×（売上高÷総資本（または総資産））
総資本税引前当期 純利益率（％）	税金等調整前当期純利益÷総資本（または総資産）×100
総資本事業利益率 （％）	事業利益÷総資本（または総資産）×100
事業利益（円）	営業利益＋受取利息＋有価証券利息＋受取配当金＋持 分法による投資利益
経営資本営業利益 率（％）	営業利益÷経営資本×100
経営資本（円）	総資本（または総資産）−（投資その他の資産＋建設仮勘 定＋繰延資産）
自己資本当期純利 益率（ROE）（％）ま たは自己資本利益 率（ROE）（％）	親会社株主に帰属する当期純利益÷自己資本（または純 資産）×100
	当期純利益÷自己資本（または純資産）×100
	売上高当期純利益率（当期純利益÷売上高）×100×総資 本回転率（売上高÷総資本（または総資産））×財務レバ レッジ（総資本（または総資産）÷自己資本）
売上高利益率（％）	利益÷売上高×100
資本回転率（回）	売上高÷投下資本
売上高売上総利益 率（％）	売上総利益÷売上高×100

財務指標	計算式
売上高営業利益率（％）	営業利益÷売上高×100
売上高経常利益率（％）	経常利益÷売上高×100
売上高当期純利益率（％）	当期純利益÷売上高×100
総資本回転率（回）	売上高÷総資本（または総資産）
売上債権回転率（回）	売上高÷売上債権
棚卸資産回転率（回）	売上高÷棚卸資産
仕入債務回転率（回）	売上高÷仕入債務
資本回転期間（年）	投下資本÷売上高
資本回転期間（月）	投下資本÷（売上高÷12）
総資本回転期間（日）	総資本（または総資産）÷（売上高 ÷ 365）
売上債権回転期間（日）	売上債権÷（売上高 ÷ 365）
棚卸資産回転期間（日）	棚卸資産÷（売上高 ÷ 365）
仕入債務回転期間（日）	仕入債務÷（売上高 ÷ 365）
キャッシュ・コンバージョン・サイクル（日）	売上債権回転期間＋棚卸資産回転期間－仕入債務回転期間
総資本回転率（回）	売上高÷総資本（または総資産）
財務レバレッジ（倍）	総資本（または総資産）÷自己資本
キャッシュ・フローの分析	
フリー・キャッシュ・フロー（円）	営業活動によるキャッシュ・フロー＋投資活動によるキャッシュ・フロー
営業キャッシュ・フロー・マージン（％）	営業活動によるキャッシュ・フロー÷売上高×100

財務指標	計算式
自己資本営業キャッシュ・フロー比率(%)	営業活動によるキャッシュ・フロー÷自己資本(または純資産)×100
経営資本キャッシュ・フロー比率(%)	営業活動によるキャッシュ・フロー÷経営資本×100
営業キャッシュ・フロー対流動負債比率(%)	営業活動によるキャッシュ・フロー÷流動負債×100
営業キャッシュ・フロー対有利子負債比率比率(%)	営業活動によるキャッシュ・フロー÷有利子負債×100
設備投資額対キャッシュ・フロー比率(%)	設備投資額÷営業活動によるキャッシュ・フロー×100
設備投資額(円)	有形固定資産の取得による支出−有形固定資産の売却による収入

連単倍率・規模倍率

財務指標	計算式
連単倍率(倍)	連結財務諸表の数値÷親会社個別財務諸表の数値
資産合計の規模倍率(倍)	比較企業の資産合計÷基準企業の資産合計
売上高の規模倍率(倍)	比較企業の売上高÷基準企業の売上高
当期純利益の規模倍率(倍)	比較企業の当期純利益÷基準企業の当期純利益

損益分岐点分析

財務指標	計算式
限界利益	売上高−変動費
限界利益率(%)	限界利益÷売上高×100
	100−変動費率
変動費率(%)	変動費÷売上高×100
損益分岐点売上高(円)	固定費÷限界利益率
損益分岐点比率(%)	損益分岐点売上高÷売上高×100
経営安全率(%)	(売上高−損益分岐点売上高)÷売上高×100
	100−損益分岐点比率

財務指標	計算式
固定費：商業の場合	固定費販売費及び一般管理費＋営業外費用－営業外収益
固定費：製造業の場合	販売費及び一般管理費＋労務費＋（製造経費－外注加工費）＋営業外費用－営業外収益
変動費：商業の場合	売上原価
変動費：製造業の場合	売上原価－労務費－（製造経費－外注加工費）
株価等の分析	
1株当たり当期純利益（EPS）（円）	親会社株主に帰属する当期純利益÷発行済株式数（自己株式を除く）
株価収益率（PER）（倍）	1株当たり株価÷1株当たり当期純利益
1株当たり純資産（BPS）（円）	純資産（または自己資本）÷発行済株式数（自己株式を除く）
株価純資産倍率（PBR）（倍）	1株当たり株式時価÷1株当たり純資産
1株当たり配当額（円）	配当金総額÷発行済株式数（自己株式を除く）
配当性向（％）	1株当たり配当額÷1株当たり当期純利益×100
	配当金総額÷親会社株主に帰属する当期純利益×100
時価総額（円）	1株当たり株価×発行済株式数
株式益回り（％）	1株当たり当期純利益÷1株当たり株価×100
配当利回り（％）	1株当たり配当額÷1株当たり株価×100
1株当たりキャッシュ・フロー（CFPS）（円）	営業活動によるキャッシュ・フロー÷発行済株式数（自己株式を除く）
株価キャッシュ・フロー倍率（PCFR）（倍）	1株当たり株価÷1株当たりキャッシュ・フロー
株主資本配当率（％）	配当金総額÷自己資本（または純資産）×100
	1株当たり配当額÷1株当たり純資産×100
株主総利回り（TSR）（％）	当事業年度末日の株価＋分析対象第1年度から当事業年度までの1株当たり配当額の累計額÷分析対象第1年度の前年度末日の株価×100

財務指標	計算式
1人当たり分析	
従業員1人当たり売上高(円)	売上高÷従業員数
従業員1人当たり営業利益(円)	営業利益÷従業員数
従業員1人当たり経常利益(円)	経常利益÷従業員数
従業員1人当たり総資産(円)または資本集約率(円)	総資産(または総資本)÷従業員数
従業員1人当たり有形固定資産(円)または労働装備率(円)	有形固定資産÷従業員数
従業員1人当たり人件費(円)	人件費・労務費÷従業員数

索　引

50音

あ行

か行

【著者紹介】

●横山 隆志（よこやま たかし）

税理士・中小企業診断士・ITコーディネーター。1957年神戸市生まれ。1982年、大手金融機関に入社。1984年にはパソコンによるビジネス環境の変化に着目し独立。さらに1988年には、大手会計ソフトメーカーの大阪事業所の責任者に就任し、会計ソフトの普及に尽力する。その後、有限会社ケースメソッドを設立。2,000社以上の中小企業の会計業務運用支援に携わる一方、2000年には職業訓練校の弥生カレッジCMCを立ち上げ、会計人材の育成にも尽力。企業の経営者として活動する中で、上場企業の会計業務を研究するために日商簿記1級、ビジネス会計検定試験1級を取得。さらに、中小企業の税務支援のために税理士の資格を取得。

現在は、IT総合会計事務所の所長も務めている。弥生カレッジCMCでは、ビジネス会計検定試験をはじめとする各種の無料動画を紹介している。

https://www.kaikei-soft.net/

ライフワークは坂本龍馬研究、日々の生活での活動は妻との大河ドラマ鑑賞・朝ドラ鑑賞である。坂本龍馬の言葉で自身に影響を与えた言葉は、「世の人は我を何とも言わば言え　我なす事は我のみぞ知る」。

〈執筆協力〉松岡　裕美・布施　岬

公式テキスト第6版対応
ビジネス会計検定試験® 2級重要ポイント&模擬問題集

2024年9月10日　　　　初版第1刷発行

著　者―――横山　隆志
　　　　　　ⓒ 2024 Takashi Yokoyama
発行者―――張　士洛
発行所―――日本能率協会マネジメントセンター
〒103-6009 東京都中央区日本橋2‐7‐1　東京日本橋タワー
TEL　03(6362)4339(編集)／03(6362)4558(販売)
FAX　03(3272)8127(編集・販売)
https://www.jmam.co.jp/

装　丁―――後藤　紀彦
本文DTP ――株式会社明昌堂
印刷所―――広研印刷株式会社
製本所―――東京美術紙工協業組合

ISBN 978-4-8005-9254-5 C3033

公式テキスト第5版対応
ビジネス会計検定試験® 3級
重要ポイント & 模擬問題集

横山 隆志 著

A5判184頁

出題項目を、原則見開き2ページ読切りでポイントに絞って解説。章末に演習問題と解答・解説、最終章に近年の傾向を踏まえた模擬問題を2回分掲載。この1冊で十分な試験対策ができる。

改訂4版
経理・財務スキル検定™ [FASS]
テキスト & 問題集

CS アカウンティング 編

A5判396頁

「経理・財務スキル検定」(FASS) は、経済産業省の「経理・財務サービス・スキルスタンダード」に完全準拠し、経理・財務実務のスキルを客観的に測定する検定試験であり、優れた「実用性」「客観性」「信頼性」「利便性」を特徴としている。学習しやすいようテキストと問題集をまとめ、最新情報も掲載した改訂版。

数字を武器として使いたいビジネスパーソンの
会計の基本教科書

中尾 篤史 著

A5判284頁

経営者や経理部門の人だけでなく、仕事において会計やその数字の意味をきちんと知りたいビジネスパーソンに贈る1冊。会社の経理の専門家である著者が、身近な例を多く取り上げながら体系的にわかりやすく解説。

基本がわかる 実践できる
決算書の読み方・活かし方

川口 宏之 著

A5判184頁

「決算書」の読み方を丁寧に解説し、実務でどのように活用していくかの具体的事例を挙げた会計スキルの初歩が学べる1冊。『基本編』では「決算書（財務三表）」が簡単に読めるようになるポイント、『実践編』ではさまざまな部門での業務における「決算書」の上手な使い方を解説。具体的なイメージがつかめるショートストーリーも収録。

日本能率協会マネジメントセンター